DU MÊME AUTEUR

Le Pic Saint-Loup, Études et Communication, 2008

© Alcide, 2011
11, rue Marc-Sangnier
30900 Nîmes
www.editions-alcide.com

ISBN 978-2-917743-30-0

Christian Cayssiols

balades & découvertes

De Saint-Guilhem-le-Désert à Navacelles

alcide

Présentation

À proximité de Montpellier et des Cévennes, un autre géant rivalise avec le pic Saint-Loup : la Séranne. Au départ de la capitale languedocienne, ce nouvel itinéraire tourne autour de cette montagne et serpente depuis les garrigues des basses terres jusqu'aux premières forêts des contreforts des Cévennes où le chêne Kermès laisse progressivement la place aux fougères, châtaigniers et conifères. Il dévoile des lieux célèbres ainsi que des trésors architecturaux ou naturels qui portent l'empreinte de nos ancêtres. Les sites mégalithiques témoignent d'une occupation lointaine sur ces terres que devaient occuper beaucoup plus tard de puissants seigneurs bâtisseurs de châteaux médiévaux ou des religieux retirés dans des monastères autour desquels la vie s'est organisée, entraînant la création de nouvelles cités.

De Gignac au Cirque de Navacelles, les paysages magnifiques des gorges de l'Hérault, de la vallée de la Buèges et des gorges de la Vis, découpés à la hache, tranchent avec la platitude caussenarde, plus aride et pays des troupeaux qui paissent là en toute tranquillité. Les promenades dans la nature au milieu du thym, du laurier, de l'arbousier et du pin parasol, rappellent qu'il faut rester humble devant tant de beauté, de fragilité et d'émerveillement. Le regard embrasse la nature avec ses bruits que l'oreille de ceux qui restent attentifs accueille avec plaisir. Là, dans le calme et la sérénité, loin des tracas de la vie moderne, chacun de nos sens doit rester en éveil pour capter le chant des oiseaux, sentir les odeurs de la végétation ou tenter d'apercevoir petits ou gros mammifères qui se dérobent dans les broussailles ou futaies. La Séranne sera quant à elle, toujours là, à portée de regard, comme un gardien ou un témoin de ces rencontres inoubliables sur ses terres.

Vous serez accompagnés, au fil de ces découvertes, par de nombreuses photographies illustrant l'incroyable variété des paysages traversés, la richesse historique des villes et villages et la diversité de la faune et de la flore qui sont les points forts de cet itinéraire. Iconographie renforcée par des commentaires détaillés sur l'histoire et les activités humaines passées ou présentes. Ce travail de passionné est le second ouvrage du photographe Christian Cayssiols, après celui sur le pic Saint-Loup, qui n'a pour ambition que de faire découvrir au lecteur un morceau du territoire du Languedoc, de lui faire partager ses paysages sauvages, ses villages au passé historique captivant et de le sensibiliser à cette nature si fragile et si forte à la fois pour garantir à nos enfants et petits enfants de pouvoir en profiter encore longtemps.

Conseils

Si la voiture est indispensable pour se rendre sur les lieux pour la plupart des lecteurs, il faut l'oublier rapidement pour profiter au maximum des sensations offertes par cet itinéraire, que ce soit dans les villages ou dans la nature.

Respectez les riverains et n'entravez pas la circulation des véhicules, mêmes agricoles.

De nombreuses balades sont décrites ou indiquées, sachez les parcourir en respectant la nature et les riverains, souvent propriétaires des espaces gentiment mis à la disposition de tous. Respectez la signalisation, empruntez les sentiers balisés et ne cherchez pas des raccourcis hors sentier qui ne feront gagner que peu de temps mais auront des conséquences dramatiques sur les cultures en contrebas lorsque le temps de la pluie viendra. S'il est indispensable de boire et de manger, il est tout aussi primordial de ne laisser aucun détritus sur place, la nature vous en saura gré et continuera à vous offrir, ainsi qu'à vos enfants, de belles sensations dans un espace protégé et sauvage.

Pour ceux qui viennent de loin, n'hésitez pas à séjourner sur place, des hôtels, gîtes ou campings alentour vous accueilleront avec plaisir.

Saint-Guilhem-le-Désert

Le pont d'Ambrossum

Un peu d'histoire...

Dolmens et menhirs, églises et abbayes, cathédrales, châteaux, circulades… le sud de la France est peuplé par l'homme depuis environ un million d'années. Étrusques, Grecs, Celtes, Romains, Wisigoths, Sarrasins, Francs, tous ces peuples ont façonné les paysages et contribué à la richesse culturelle du Languedoc où ils se sont succédés du VIIe siècle avant notre ère au VIIIe siècle après J.-C., dans des mouvements de conquêtes économiques, politiques et territoriales.

Une terre convoitée

Au VIIe siècle avant notre ère, le sud de la Gaule commerce par mer. Des traces des Étrusques – qui venaient d'Italie – ont été retrouvées à Bessan, Substantion (Castelnau-le-Lez) et dans le port de Lattes. Les Grecs fondent Marseille en 600 av. J.-C. et introduisent la viticulture. Au Ve siècle avant notre ère, le commerce du vin se développe et de nombreux villages se transforment en de véritables villes. La région est alors envahie par les Celtes. Organisés en tribus, ils vivent de chasse, de cueillette, de pêche et de culture de céréales ou d'élevage.

En l'an 122 av. J.-C., les Romains font la conquête de la région qui devient Province de Transalpine. Sa capitale, Narbonne, est fondée en 118 av. J.-C. À la tête des légions, Cneius Domitius Ahenobarbus fait aménager et paver l'ancienne route d'Hercule et donne son nom à cette nouvelle voie, la célèbre *Via Domitia*. Longue de 500 km, elle relie les Alpes aux Pyrénées et facilite les échanges. Cet axe devient l'épine dorsale de la province et reste aujourd'hui la voie de communication essentielle du Languedoc-Roussillon, l'autoroute A9 et le chemin de fer reprenant son tracé. Les Romains investissent totalement le territoire et organisent l'exploitation économique. Ils occupent les *oppida*, type d'habitat juché sur des hauteurs pour pouvoir surveiller les alentours, et les voies commerciales. Ils créent des *villae*, de grandes exploitations agricoles dont certaines sont encore inscrites dans le paysage actuel, comme celle de Loupian. Ils cultivent la vigne et l'olivier, exploitent du fer dans la Montagne noire et les Cévennes, du cuivre dans la vallée supérieure de l'Orb, ou encore du plomb argentifère dans le nord de l'Hérault.

La fin de l'Empire romain est marquée par les invasions dites « barbares ». Au début du Ve siècle, les Wisigoths venus d'Europe septentrionale et orientale prennent Rome et s'installent en Espagne et dans le sud de la Gaule. La région s'appelle alors Septimanie. Au début du VIIIe siècle, les Sarrasins chassent les Wisigoths d'Espagne et soumettent la Septimanie. Ils l'occupent pendant quarante ans, jusqu'à la victoire des Francs menés par le fils de Charles Martel, Pépin le Bref.

La région à l'époque carolingienne

Les comtes wisigoths de la région se rallient à Pépin le Bref, notamment le comte de Maguelone et de Melgueil, père de Witiza, futur saint Benoît d'Aniane.
Charlemagne, fils de Pépin, veut libérer l'Espagne de l'occupation sarrasine. Zone frontière, la région prend le nom de Marche de Gothie. L'empereur structure l'Église. De nombreux monastères sont fondés, comme celui d'Aniane, par Witiza-Benoît. En

806, Guillaume, comte de Toulouse et cousin de Charlemagne, se retire à Gellone, où se trouve l'une des dépendances d'Aniane. Grâce à cette présence illustre, le lieu se développe et devient monastère dont l'indépendance est reconnue par le pape au XIe siècle. Au XIIe siècle, l'abbaye de Gellone, reconstruite, prend le nom de Saint-Guilhem en hommage à son fondateur et devient un lieu de pèlerinage sur le chemin de Saint-Jacques-de-Compostelle. L'église, préservée, est un bel exemple de l'art roman languedocien. Du cloître, en revanche, ne subsistent que deux galeries. Un musée lapidaire conserve des éléments de sculpture qui décoraient l'abbaye. Le Languedoc devient ainsi l'un des grands foyers de la vie religieuse de l'Empire. Les cathédrales sont reconstruites, notamment celle de Lodève.

La croissance économique aux XIe et XIIe siècles

Les terres sont défrichées et de nouveaux villages sont aménagés. Marais, lagunes et étangs intérieurs sont drainés, comme celui de Montady. Les monastères œuvrent à la mise en valeur des terres. L'essor du négoce et de l'artisanat s'ajoute à celui des campagnes. Les voies de communication sont fréquentées, *Via Domitia*, mais aussi *cami salinié* (route du sel, de Frontignan à Nîmes) et *cami roumieu*, qu'empruntent les pèlerins de Saint-Jacques-de-Compostelle. Des ponts sont construits pour faciliter les échanges, tel le pont du Diable, à Aniane. Issue du latin populaire, la langue d'oc, celle des troubadours, se diffuse.

Art roman, croisades et catharisme

Apparu en Italie du nord autour de l'An Mil, l'art roman se répand en Languedoc au XIe siècle, comme en témoignent de nombreuses églises.
À cette époque, un courant jugé hérétique gagne l'ouest du Languedoc : le catharisme. Il séduit par ses dogmes simples. En 1208, après l'assassinat de son légat, le pape Innocent III lance la « croisade des Albigeois ». Béziers est mise à sac l'année suivante. Les armées de Simon de Montfort prennent les châteaux. Raimond VI organise la résistance des Cathares. Mais son fils, Raimond VII, doit capituler devant le roi. En 1229, il signe le traité de Paris qui stipule que le bas Languedoc est désormais au roi. La répression de l'hérésie par l'Inquisition est terrible.
À la fin du XIIIe siècle, la nouvelle province royale prend le nom de Languedoc. Sous autorité monarchique, elle subit l'influence de l'Île-de-France pour l'organisation administrative mais aussi dans l'art. Les architectes s'inspirent en effet du style gothique des cathédrales du nord pour leurs réalisations, tout en le personnalisant. La cathédrale Saint-Fulcran de Lodève, non loin de Saint-Guilhem-le-Désert, est typique du style gothique méridional.

Le Languedoc au cœur des guerres de religion

Dans la première moitié du XIVe siècle, la région est frappée par les famines et les épidémies de peste. La guerre de Cent Ans aggrave la situation. La crise économique provoque des révoltes contre l'impôt.
Au XVe siècle, le Languedoc méditerranéen renaît grâce au marchand Jacques Cœur qui s'installe en 1432 à Montpellier, établit sa flotte à Aigues-Mortes et relance le commerce

maritime, notamment avec le Levant. La population croît à nouveau et l'économie se redresse. Inscrits à l'université de Montpellier, les frères Platter décrivent la vie en Languedoc, en particulier l'activité des industries cévenoles dont la plus importante est celle de la laine.

Cependant, l'essor démographique étant plus important que celui de l'économie, les disettes réapparaissent au XVIe siècle, suivies de la peste en 1529-1532. Parallèlement, l'Église s'enrichit en augmentant la dîme, ce qui attise les mécontentements.

Grâce aux échanges commerciaux, aux colporteurs de bibles et aux universitaires, les idées de la Réforme se répandent, d'abord dans les villes, puis sur l'ensemble du territoire. Elles attirent la population écrasée par la dîme. Les protestants bâtissent des temples et s'emparent des églises catholiques. Les Cévennes deviennent le centre d'une puissance huguenote. Protestants et catholiques finissent par s'opposer dans des luttes violentes qui frappent toute l'Europe de 1559 à 1598. En 1598, l'édit de Nantes, promulgué par Henri IV, met fin à la guerre civile et donne aux protestants des droits civils égaux à ceux de leurs adversaires. L'Église catholique sort ruinée de ces guerres. L'assassinat d'Henri IV, en 1610, met fin à la trêve. Les combats reprennent en 1619. Bastions de la religion réformée, Montpellier et Nîmes se soulèvent en 1621. Mais Montpellier, assiégée par les armées de Louis XIII, doit capituler l'année suivante et devient un centre de la reconquête catholique. Dans les Cévennes, le duc de Rohan et les troupes protestantes se soulèvent en vain. L'édit de grâce d'Alès est signé en 1629. Les places fortes protestantes sont démantelées et le culte réformé est interdit dans certains lieux, comme à Gignac.

Peu à peu, les protestants se voient exclus de la vie politique. Ils sont accusés aussi de s'enrichir dans le commerce, l'industrie et la banque. À partir de 1663, des temples sont rasés. Sous le prétexte qu'il ne peut y avoir deux religions sans risque d'entraver l'autorité monarchique, Louis XIV lance une nouvelle campagne. L'édit de Nantes est vidé de son contenu.

La révolte des Camisards

En 1685, l'édit est révoqué, remplacé par l'édit de Fontainebleau. Les temples sont détruits, les biens confisqués et le culte interdit. Les protestants entrent dans la clandestinité, beaucoup s'exilent vers l'Angleterre et ses colonies d'Amérique, l'Allemagne, les Pays Bas, puis l'Afrique du Sud. Cette hémorragie renforce la crise économique.

En 1702, après plusieurs décennies de persécutions, les protestants des Cévennes se révoltent. Surnommés Camisards en raison de la chemise qu'ils portent, ils se dressent contre les armées royales. Ils réclament la liberté de conscience, mais n'obtiennent, après deux ans de lutte, qu'une amnistie, un armistice et l'autorisation de sortir du royaume.

Beaucoup cependant continuent à prier en secret et, à la mort de Louis XIV en 1715, l'Église protestante renaît. La vie paroissiale est réorganisée, malgré une répression toujours forte, menée cette fois par Louis XV. Ce sont les philosophes, devenus très influents par leurs écrits, qui obtiennent de soulager la pression sur les protestants à partir de 1770, avant que l'édit de Tolérance soit signé par Louis XVI en 1787.

Développement économique et idées nouvelles

Malgré les guerres de religion, le Languedoc poursuit son développement économique. À la fin du XVIIe siècle, le percement du canal des Deux-Mers et la construction de routes permettent d'augmenter les échanges et de désenclaver les zones isolées. Agriculture et viticulture se modernisent. Le vignoble est étendu et la vinification est améliorée par le processus de chaptalisation qui consiste à ajouter du sucre. La province exporte. Le port de Sète commerce vers l'Atlantique et la mer Baltique. L'industrie textile est florissante. Des manufactures de coton sont ouvertes, comme celle de Villeneuvette. L'élevage du ver à soie progresse dans les Cévennes. Colbert introduit dans la région la fabrique de bas de soie. La province exporte les produits lainiers et le charbon. L'industrie chimique apparaît à Montpelier. Les villes se parent de beaux monuments. Dès le XVIIIe siècle, un désir de renouveau anime le Languedoc. Les idées des Lumières progressent, alors que s'amoindrit le sentiment religieux. La Révolution fait des protestants des citoyens à part entière, en 1789, par l'article 10 de la Déclaration des droits de l'homme et du citoyen: « Nul ne doit être inquiété pour ses opinions, mêmes religieuses, pourvu que leurs manifestations ne troublent point l'ordre public établi par la loi ».

Des villes se trouvent alors parfois coupées en deux : d'un côté les protestants, la garde nationale, l'armée et le club des Jacobins ; de l'autre les masses populaires royalistes et catholiques. Des incidents se produisent un peu partout dans la région.

À l'effondrement de l'Empire napoléonien, le retour des Bourbons et le règne de Louis XVIII provoquent la Terreur Blanche, nom donné aux persécutions des bonapartistes, républicains et protestants par les royalistes du Midi. La noblesse terrienne reprend le pouvoir.

La révolution de 1830 provoque quelques émeutes sans conséquences. De 1830 à 1848, sous la monarchie de Juillet, la France du Sud devient républicaine. La gauche se diffuse, surtout dans les régions viticoles.

Chemin de fer, phylloxéra et crises viticoles

L'installation du réseau ferroviaire, pionnier dans la région, a un impact sur l'équilibre des forces économiques. Le Montpellier-Sète, inauguré en 1839, donne au port une plus grande envergure. Peu après, ouvrent les lignes Nîmes-Beaucaire et Nîmes-Alès puis, en 1844, le Montpellier-Nîmes. Talabot fonde la compagnie « de Lyon à la Méditerranée ».

Grâce au chemin de fer, le vin multiplie ses débouchés, un atout pour le bas Languedoc devenu un immense vignoble. La consommation de vin augmente en suivant l'expansion des villes. En moins de vingt-cinq ans, le vignoble de l'Hérault double.

C'est à cette époque qu'apparaît le phylloxéra, puceron introduit par accident à cause de plants américains. Le vignoble de l'Hérault passe de 220 000 ha en 1874 à 47 000 ha en 1883. Heureusement, le botaniste montpelliérain Jules Planchon, professeur à la faculté de pharmacie, identifie l'insecte et découvre le moyen d'enrayer les dégâts qu'il provoque. Il importe des plants américains plus résistants et y greffe les cépages français. Le vignoble se reconstitue, mais sous un autre visage. La lutte contre la maladie étant coûteuse, la grande propriété se généralise. De même, le centre viticole se déplace vers l'ouest : la région de Béziers, affectée plus tard, devient le cœur du vignoble languedocien. Celui-ci occupe, à la fin du XIXe siècle, une surface d'environ 465 000 ha, ce qui vaut au Midi le surnom de « mer de vigne ». Une viticulture nouvelle se met en place, à forts rendements, mécanisée, l'exploitation prenant un caractère scientifique.

Une industrie à la traîne

La monoculture viticole caractérise la région jusqu'à la seconde guerre mondiale. En outre, des secteurs entiers subissent fortement la concurrence extérieure : ainsi, les soies d'Extrême Orient et les soies artificielles sont-elles la cause d'une crise économique vers 1880 dans un domaine déjà touché par la pébrine, maladie de la soie survenue en 1850. Les magnaneries sont désertées et, dès la première guerre mondiale, on ferme les filatures. La châtaigneraie est affectée par la maladie de l'encre.

L'industrie métallurgique progresse jusqu'en 1890 puis décline en raison du rendement médiocre du charbon. Le coût d'extraction élevé du charbon cévenol ne lui permet pas de lutter face aux énergies nouvelles. On ferme les bassins les uns après les autres. De même, la métallurgie lourde est en difficulté. Dès 1930, les hauts fourneaux sont arrêtés.

La crise économique a des conséquences démographiques : la population se déplace vers la plaine, le littoral ou Paris. Elle gagne les villes, sans pour autant y trouver un emploi.

L'après-guerre

Après la seconde guerre mondiale, la région connaît de nouveaux mouvements de population. L'exode rural se poursuit. On bascule d'une civilisation rurale à une civilisation urbaine. Les flux migratoires évoluent. Il faut remplacer la main-d'œuvre autochtone défaillante dans l'agriculture. On trouve parmi les immigrés des Gavaches (paysans du Tarn, de l'Aveyron et de l'arrière-pays héraultais), des Espagnols et des Italiens, ces derniers travaillant aussi dans le secteur du bâtiment. Des Polonais s'installent dans la région entre les deux guerres, en particulier dans les pays miniers. Portugais et musulmans d'Afrique du Nord s'ajoutent à cet ensemble. Parmi ces derniers, il faut distinguer une immigration politique, les Harkis, soucieux de s'intégrer rapidement, et une immigration économique, dont le but est à terme de retourner au pays.

Cas particulier, les rapatriés d'Afrique du Nord s'installent en grand nombre dans presque tous les départements de la région. Ils gonflent d'un coup la population urbaine et le secteur tertiaire.

Une forte colonie israélite séfarade vient rejoindre les petites colonies juives enracinées en Languedoc parfois depuis le Moyen Âge ou le XVIe siècle. Elle renforce une communauté décimée par la seconde guerre mondiale.

Grâce à l'aménagement de nouvelles stations balnéaires, le Midi devient la destination vacances des Européens du Nord. Le tourisme se développe, supplantant peu à peu les revenus viticoles.

Croissance démographique exceptionnelle, mutations économiques dans tous les secteurs d'activités, développement culturel, transformations urbaines… Depuis les années 1960, la région est en ébullition. Et, si sa capitale régionale, Montpellier, devient une métropole internationale, tout le territoire sait mettre en avant ses atouts.

Vin de qualité et mutation des activités

Face aux difficultés du monde viticole, touché par la surproduction et la concurrence étrangère, les viticulteurs décident de miser sur la qualité. Les cépages médiocres sont éliminés, le vignoble est adapté.

Les industries anciennes, le textile à Lodève, au Vigan ou à Alès, la bonneterie à Ganges, l'exploitation houillère du bassin d'Alès avec la verrerie ou la métallurgie lourde périclitent ou déclinent. Des milliers d'emplois disparaissent, vidant parfois les villes. Parallèlement, des entreprises nouvelles s'appuient sur la recherche et en s'orientant vers des secteurs porteurs : l'informatique, bureautique, biotechnologies, souvent en liaison avec des parcs scientifiques.

Le tourisme devient la première activité économique, devant la viticulture. Le thermalisme renaît. L'arrière-pays se développe et devient plus attractif. Autour des voies historiques de communication, la *Via Domitia* et le Canal du Midi, les visiteurs découvrent un patrimoine d'exception. Tandis qu'autour du pic Saint-Loup et de la Séranne, les paysages de vigne, d'olivier et de garrigue s'offrent au regard à l'infini.

Balades et randonnées autour de Saint-Guilhem-le-Désert permettront à chacun de découvrir la beauté de la nature et les témoignages des civilisations qui se succédèrent ici.

Marie Susplugas

Le temple de Gorniès

Votre itinéraire

Cet itinéraire touristique et culturel est une boucle au départ de Montpellier d'environ 220 km, réalisable par étapes, à votre rythme et selon votre moyen de locomotion.

Il vous fera découvrir Gignac, Aniane, Puéchabon, Saint-Guilhem-le-Désert, Causse-de-la-Selle, ainsi que les paysages et curiosités en bordure de l'Hérault, sans oublier un arrêt pour visiter la grotte de Clamouse.

Coupant ensuite vers la Séranne, vous rejoindrez les magnifiques villages de la vallée de la Buèges ; Pégairolles, Saint-Jean et Saint-André, pour cette découverte le long d'une rivière paisible qui serpente au milieu des vignes et des oliviers.

Un détour vers le pont de Saint-Étienne-d'Issensac permet d'admirer l'église et le pont si particulier et, pourquoi pas, de profiter d'une journée d'été pour vous rafraîchir dans l'Hérault, bien accueillant dans cette partie de son cours.

En continuant sur Brissac et son château, Saint-Bauzille-de-Putois et la grotte des Demoiselles, Laroque, son vieux village et la grotte des Lauriers, Ganges et son histoire, vous vous dirigerez vers les gorges de la Vis. Profiterez-vous alors du canoë pour découvrir autrement le travail de l'Hérault sur nos paysages ? Après le passage du pont Neuf de Ganges et un petit détour pour admirer des roues à aubes à Cazilhac (les meuses), vous irez à la découverte de Saint-Laurent-le-Minier et sa cascade sur la Vis, de Gorniés et de Madières, pittoresques villages aux confins du Gard et de l'Hérault. Ici, vous suivrez l'évolution de la végétation, le chêne Kermès laissant la place aux fougères puis aux premières forêts de sapins.

De là, vous grimperez vers le causse de Blandas, plus aride et propice à l'élevage. Le causse est aussi riche en histoire et préhistoire, vous découvrirez Montdardier et son

château, ainsi que de nombreux vestiges préhistoriques. Le village et le cirque de Vissec méritent d'y passer avant de vous diriger enfin vers la merveille que la nature a creusée du côté de Navacelles. En route, ne pas oublier l'arrêt dans la descente pour une balade incontournable vers les moulins de la Foux.

Le retour se fera en remontant vers Saint-Maurice de Navacelles afin de profiter d'une dernière vue sur le cirque. Sur ce nouveau plateau, à l'extrémité sud du causse du Larzac, vous retrouverez des vestiges préhistoriques de grande qualité.

Après le village de La Vacquerie, vous profiterez de la vue exceptionnelle qu'offre la table d'orientation du mont Saint-Baudille avant de redescendre dans la plaine.

Le retour vers Gignac et Montpellier par le col du Vent vous offrira un panorama paysager, marquant l'évolution de la végétation au fil de la descente. Les villages d'Arboras et de Montpeyroux seront vos dernières haltes pour admirer de vieilles pierres, dans les villages ou à proximité, comme le Castellas édifié en l'an 1070.

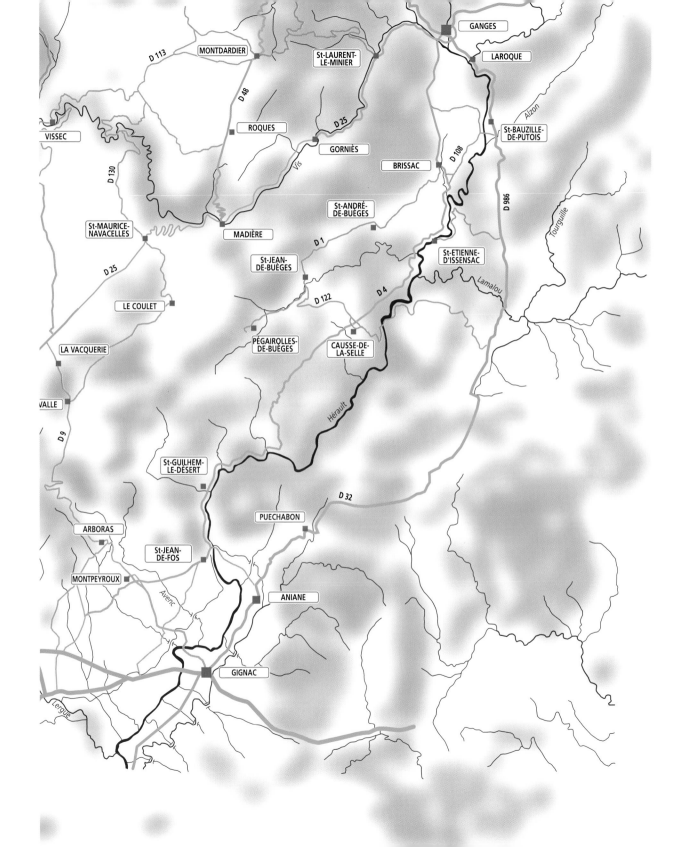

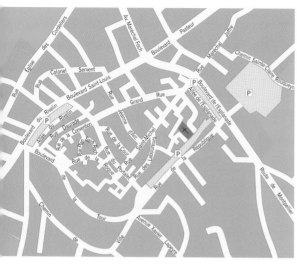

La superficie de la commune est de 2985 ha avec une altitude variant de 28 à 286 m. Les 3955 habitants sont les Gignacois.

➤ *De Montpellier prendre l'A750 vers Gignac.*

Gignac

Ce nouveau périple de découvertes qui vous mènera des gorges de l'Hérault aux causses de Blandas et du Larzac en passant par Navacelles, se devait de commencer par Gignac. Cette petite ville proche de Montpellier est située sur l'axe qui relie la capitale languedocienne à Clermont-Ferrand, carrefour de la route du sel et des voies de transhumances. Son patrimoine architectural, la richesse de ses façades, portes et fontaines vous fera débuter votre périple de bien belle manière.

Il faut remonter à l'occupation de la Gaule par les Romains pour en trouver l'origine. C'est en effet un domaine gallo-romain, propriété d'un gaulois nommé *Gennius* (transformé en *Giniacum* par l'ajout du suffixe « acum »), qui donna le nom du bourg.

Paysage autour de Gignac

Il est cité pour la première fois en l'an mil. Cependant, c'est le développement de l'économie de notre région et les accès créés pour joindre chaque village, aux Xe et XIe siècles, qui permettent l'essor de la villa et du castrum. Le lieu est ainsi bien placé, au carrefour des routes qui relient Montpellier et *Substantion* à Agde et Béziers dans l'axe est-ouest et à Lodève et au Larzac dans l'axe sud-nord.

C'est aussi grâce à l'obtention du « Consulat » (organisation politique et financière qui permettait d'obtenir la liberté de commerce et d'administration locale) au XIIe siècle, que la ville connut l'essor économique et peut-être sa fortification.

L'église Saint-Pierre, déjà citée en 1026, rappelle la fonction religieuse du lieu. Gignac, point de passage pour la transhumance des troupeaux vers le Larzac ou, plus près, vers la Séranne, dépendait au Moyen Âge du diocèse de Béziers (Gignac était, avec 2 000 âmes, la seconde ville du diocèse).

En réalité, il y avait deux lieux distincts – au moins jusqu'aux guerres de religion – d'une part le village fortifié et d'autre part la villa et le castrum situés sur un promontoire qui domine le site. Les conflits religieux ont eu un impact non négligeable sur l'état du patrimoine que nous pouvons admirer de nos jours. Par exemple, il ne reste plus rien de la citadelle protestante occupée en 1573.

Des remparts, des 9 tours (Gignac était autrefois surnommée « Tourette ») et des 7 portes du XVIe siècle, il ne reste malheureusement pas grand-chose. Heureusement, quelques sites restent encore visibles permettant ainsi de nous plonger dans l'histoire de cette ville.

L'église notre Dame de Grâce et ses oratoires

Un temple, implanté sur ce lieu, aurait permis aux Romains d'adorer la déesse du foyer, Vesta. Consacré par le premier évêque de Lodève, il héberge des ermites avant d'être détruit par les Albigeois en 1209/1210. En 1365, une simple chapelle dédiée à la vierge miraculeuse est bâtie sur ces lieux. Elle fut démolie par les protestants en 1573. Les consuls firent réédifier ce monument en 1578 et l'édifice fut entièrement rebâti en 1583. Le 3 février 1613, ce sont les Pères Récollets (tiers ordre de Saint-François) qui s'y installèrent sur ordre des consuls, avec la bénédiction de l'évêque de Béziers Jean de Bonzi et l'approbation du connétable Henri de Montmorency, gouverneur de la province. En 1621, les protestants s'emparent de la ville. Le couvent adjacent, construit par les Récollets, est pris par l'armée du duc de Rohan et saccagé de fond en comble. L'édifice actuel date du XVIIe siècle.

La reconstruction de l'église fut achevée en 1623 comme l'indique une inscription derrière le maître-autel dans l'ancien oratoire *Fundatio terna MDCXXIII*. La façade, de style florentin, est ordonnée en trois niveaux et quatre travées rythmées par des pilastres. C'est Louis XIII qui en commanda son achèvement en 1648. Séparée de nos jours des oratoires du chemin de croix par une vigne, on lui prête le nom de « Sanctuaire aux miracles », après une première guérison attestée le 8 septembre 1360.

Le couvent des Récollets est aujourd'hui occupé par les religieuses du Carmel de Saint-Joseph. Le visiteur remarquera l'imposante colonne (construite en 1776) située au centre de l'entrée en anse de panier, un arc plein cintre très large et n'en comprendra l'utilité qu'en s'éloignant un peu et en voyant le début d'affaissement du bâtiment en son milieu. Le second niveau est constitué de quatre fenêtres aménagées sous des arcades en plein cintre, cantonnées de balustres. Le troisième niveau est percé de quatre fenêtres également cantonnées de pilastres. Il est surmonté d'une corniche et

La légende

En 1360, l'évêque de Béziers, Hugues de la Judie (1349-1371) serait venu en tournée pastorale. On raconta à l'évêque des phénomènes extraordinaires qui se seraient produits sur les ruines de l'ancienne chapelle. On y avait vu surtout des croix étincelantes qui brillaient dans les airs au milieu de la nuit. L'évêque planta de ses mains une croix de bois dans une grosse pierre forte et dure de forme cylindrique qu'il fit placer sur l'emplacement même de l'antique chapelle et il la bénit. Dès que cette croix fut élevée, le phénomène cessa. Quelque temps après, un aveugle, muet de naissance, se mit à creuser de ses mains, dans les ruines, au pied de la croix. Il ne tarda pas à toucher un petit corps dur qu'il sentit être celui qu'il cherchait. Après avoir embrassé la statue, l'aveugle muet parle et voit. C'était une petite statue de la vierge. La pierre et la petite statue sont actuellement visibles dans la chapelle des miracles.

Dans l'épaisseur du mur qui fait face à l'entrée de la chapelle, on aperçoit une grosse pierre circulaire percée d'un trou de dix centimètres de diamètre dans son milieu.

C'est dans cette pierre que fut fixée la croix de l'évêque de Béziers. Cette pierre, de nature granitique, laisse suinter une matière onctueuse à laquelle on attribue la vertu de guérir les problèmes d'yeux. Au-dessus de cette pierre se trouve une niche qui reçoit la petite vierge miraculeuse trouvée par l'aveugle muet.

L'église Notre-Dame de Grâce

Décors de façade

d'un pignon lui-même surmonté d'un petit clocher mur.

À remarquer dans la chapelle des miracles, le retable du XVIIe siècle en bois peint ainsi qu'un autel en stuc polychrome, portant toujours la marque de l'influence italienne. La promenade ne serait pas complète sans continuer vers le chemin de croix. Là, 14 chapelles alignées en quinconce permettent recueillement et dévotion. L'ensemble se termine, à la pointe du rocher, par un monument restauré en 1989 et qui est aujourd'hui dédié aux soldats tombés aux champs d'honneur lors de la guerre de 1914-1918.

Ce chemin de croix a-t-il été construit pour un pèlerinage spirituel ? Il semble qu'il n'en est rien. La première chapelle a été construite par les Pères Récollets en 1672 et les autres l'ont été par de simples paroissiens au fil des ans pour rendre hommage à Jésus et à ses saints. Ce n'est qu'au XIXe siècle que cet endroit prit le nom de chemin de croix.

Autres vestiges du passé

En revenant sur le centre-ville, garez-vous près de la place du commandant Mestre où sont encore visibles des bouts de remparts médiévaux et deux portes, sur les 7 existantes au Moyen Âge : le Pourtalet au sud-est et l'Estagnol au sud-ouest. Le lavoir situé sur la place date du XIXe siècle. Plus haut, la tour Sarrasine de Gignac est tout ce qui reste du castrum. Elle daterait du XIe siècle et avait une fonction défensive avant d'être utilisée comme réservoir d'eau au XIXe siècle. Avec sa carrure impressionnante (12,60 m sur 9,60 m) et placée sur un point haut, elle est le plus imposant monument

La tour Sarrasine
La porte de l'Estagnol

Le chemin de croix

Maison Navas
Porte du Pourtalet

Page de droite, de gauche à droite
Porte de la maison Navas
Couvent des sœurs de Notre-Dame
Église Saint-Pierre
Anciens Hospices
Couvent des sœurs de Notre-Dame
Orgue de l'église Saint-Pierre
Tour de l'Horloge

d'architecture militaire du canton. Loin d'être une construction romaine, les analyses des spécialistes rejoignent les premières mentions faites en 1094 pour la dater du Moyen Âge. Après la transformation du castrum en citadelle, la question reste posée sur son utilisation. Était-ce un élément d'un château fort ? Ou plus simplement une tour de garde pour les demeures des 9 seigneurs qui se partageaient le pouvoir ici ?

La porte du Pourtalet permet d'entrer dans le vieux Gignac par la rue du même nom, dans laquelle sont visibles, sur un mur, des traces d'anciennes ouvertures romanes. Vous traversez ensuite la rue Saint-Michel en haut de laquelle se tenait une église détruite pendant les guerres de religion. Son emplacement est signalé par une simple croix. En prolongement, la rue Frédéric Mistral conduit à la place du Planol, remarquable par la décoration de la façade de la maison de Navas du XVIIe siècle. Ces décors et frises symbolisent la richesse du propriétaire. La porte, rue de la Convention, vaut également le coup d'œil.

Continuez ensuite par la rue Clémenceau, au bout de laquelle se trouve l'ancien couvent des sœurs de Nevers datant des XVIe et XVIIe siècles.

Prenez ensuite à droite et longez la façade de l'ancien couvent. Vous voyez en face de vous la tour de l'Horloge. En prenant sous les arcades, vous arrivez dans le square de la fontaine pour mieux l'apprécier.

Construite en calcaire local, l'un des derniers vestiges des défenses médiévales de la cité vient d'être restauré en partie grâce aux dons de la population, alors qu'en très mauvais état, elle était devenue un danger. La partie basse, rénovée au XVIe siècle, est couronnée de corbeaux en mâchicoulis en pierre avec son chemin de ronde semi-circulaire, tout comme la partie haute construite au XVIIIe siècle pour installer l'horloge municipale. On peut y voir les restes de l'escalier, une porte murée et 2 niveaux de 3 meurtrières. La tour de l'Horloge était autrefois ouverte sur la place de la Fontaine.

Remontez ensuite la Grand-rue, riche de ses anciennes façades des XVIIe et XVIIIe siècles

Le barrage de la Meuse

du couvent des sœurs de Notre-Dame, du Palais de justice, des Hospices et de l'Hôtel de Laurés (classé monument historique). Claude Daniel Laurés (1701-1776) était conseiller à la Cour des comptes. Il nous a laissé ses mémoires qui témoignent de la vie de la ville à cette époque.

Passez par la place Saint-Michel pour atteindre celle de la victoire où vous verrez la Fontaine de Molière, XVIIIe siècle, qui rappelle le passage de l'écrivain et comédien dans la ville.

Revenez sur vos pas pour dépasser la place et vous engager sous un porche pour rendre visite à l'église Saint-Pierre-aux-Liens dont la façade et le clocher sont du XVIIIe siècle. L'intérieur est sobre, l'église possède un orgue de tribune datant du XVIe siècle.

Remontant la rue Saint-Michel, vous terminerez la visite par la rue de la Cour, à droite, siège de la viguerie (maison où siégeaient les magistrats royaux en Languedoc jusqu'à la Révolution), afin d'admirer, là aussi, façade et porte d'entrée datant du XVIIe siècle.

Le pont de Gignac

Enjambant l'Hérault, sa construction durera 36 ans et sera interrompue par la Révolution. Commencé en 1779 par Bertrand Garipuy, cet ouvrage, cité comme le plus hardi et le plus grandiose en raison de la portée de son arche principale, de l'ampleur de ses formes et des difficultés de ses fondations, fut terminé sous l'Empire en 1840. Pour la petite histoire, Bertrand Garipuy, ayant préféré un vrai modèle réduit à une maquette, construisit un pont identique, aux dimensions près, sur l'Arnoux non loin de là, à l'entrée est de Saint-Félix-de-Lodez. Ce bâtisseur ne put admirer son œuvre, il mourut jeune, à 34 ans, pendant la construction des piles du pont.

Basée sur un devis évalué à 510 000 livres, la construction du pont, avec une arche centrale en forme d'anse de 48 m et deux latérales plein cintre de 26 m, en coûta au final 1 million.

Le canal

En 1865, des pépiniéristes français introduisent accidentellement le Phylloxéra Vasatrix (puceron qui s'attaque aux racines de la vigne) détruisant ainsi la majorité du vignoble. Pour combattre l'épidémie, la solution adoptée fut l'inondation de la plaine viticole. Il a fallu construire un canal de plusieurs kilomètres sur l'ensemble du vignoble de la vallée de l'Hérault.

Le nom de « canal de Gignac » est dû à l'implantation dans la ville de Gignac du siège social de l'association syndicale autorisée qui en gère l'exploitation. Le canal la traverse sur 650 m de canalisations souterraines, de la rue du Maréchal Joffre au bas de la Tour.

Le barrage de la Meuse

Située dans une plaine fertile grâce au fleuve Hérault, la commune de Gignac est directement privée d'eau, obligeant les habitants à parcourir plus de 1 500 m pour s'en procurer. La commune a alors investi vers le milieu du XIXe siècle pour le confort de ses habitants en construisant un barrage sur l'Hérault.

C'est ainsi que, dès 1860, un système de pompage avec une roue à aubes (appelée meuse) alimente la ville en eau. En 1910, le Conseil Municipal décide d'aller plus loin

Pont de Gignac

en équipant le barrage d'une turbine et d'un alternateur de 50 KVA. Sous le régime des concessions simples, le projet permet, en 1912, une distribution électrique aux habitants de la commune. En 1935, les besoins ayant augmenté, c'est l'usine Bonniol d'Aniane installée au Moulin de l'Erau qui apporta le complément d'électricité nécessaire à la consommation des Gignacois. En 1946, la société a été nationalisée et la production ainsi que la fourniture de l'énergie a été reprise par EDF.

En novembre 1963, une crue importante eut raison de la partie rive droite de la digue. Il faut savoir que le fleuve Hérault peut connaître des crues très importantes. De 1 600 m3/s pour les crues décennales à 3 450 m3/s pour les centennales. Débute alors une période d'études, de projets, de recherche de financements, qui dure jusqu'en septembre 1984, date à laquelle la nouvelle usine devient fonctionnelle.

L'ancienne usine hydroélectrique est maintenant un musée participant à la richesse du patrimoine industriel de la région. Des visites guidées sont organisées lors des journées du patrimoine.

La fête de l'âne

Tout comme les oies du Capitole, en 719, un âne apeuré par l'arrivée des Sarrasins se mit à braire si fort qu'il réveilla la population lui permettant de repousser les envahisseurs. Il n'en fallu pas moins pour que l'âne devienne l'animal totémique de Gignac. C'est ainsi que cet événement est célébré chaque année, à l'Ascension. La fête commence la veille à 19 heures. L'âne est symbolisé par une grande armature recouverte d'une robe bleue, surmontée d'une tête dont les mâchoires s'entrechoquent bruyamment. Il est promené dans les rues, entouré de danseurs dont les mimes et les danses au son du fifre et du tambour se poursuivent le lendemain, jour de l'Ascension. La résistance héroïque des habitants est fêtée en même temps sous le nom de « Sénibelet ». Il s'agit de mimer le combat contre les Sarrasins. L'homme représentant le Sarrasin enfile plusieurs bonnets de coton avant de poser un lourd casque de métal sur sa tête. Il a pour seule arme un long bâton d'alisier, représentant une épée. Les Gignacois, quant à eux, ont pour armes des racines de « trentanel » (passerina tinctoria, thymélées) provenant des garrigues environnantes et un coussin en paille pour se protéger le dos des coups violents donnés par le « Sarrasin ».

La superficie de la commune est de 3034 ha avec une altitude variant de 36 à 367 m. Les 2098 habitants sont les Anianais.

➤ *Sortir de Gignac par la D32 en direction d'Aniane.*

Aniane

Le fils du comte wisigoth de Maguelone, Witiza, né en 751, reçoit une éducation à la cour de Pépin le Bref, où il est proche de son fils Charlemagne et de Guillaume d'Orange. En 773, il participe avec ces derniers à l'expédition contre les Lombards en Italie, notamment à la bataille de Pavie. Sa bravoure au combat le destine à une brillante carrière militaire.

En 774, il sauve son frère Amicus de la noyade dans la rivière Anio et manque de perdre la vie. Cet événement dramatique est le déclencheur de son engagement monastique. Contre l'avis de son père, il devient moine à l'abbaye de Saint-Seine en Bourgogne où il est cellérier avant d'être élu abbé par sa communauté. C'est alors qu'il décide de revenir sur la terre qui l'a vu naître en 776 et d'implanter, plus tard, son monastère dans un lieu proche du fleuve Hérault. Il choisit un petit ruisseau qu'il nomme « Aniene » en souvenir de Saint-Benoît de Nursie, fondateur de l'ordre des Bénédictins qui avait établi son monastère en Italie près de la rivière Anio. Benoît entreprit la réforme de la règle, la *Concordia regularvm*, (concordance des règles monastiques) qui posa les bases de l'essor bénédictin.

Le patrimoine architectural

Différents événements ont conduit à apporter des modifications significatives à l'intérieur du monastère. Comme le montre le plan ci-contre, le gros œuvre des bâtiments du XVIIᵉ siècle est relativement conservé dans sa structure générale. Comme beaucoup d'autres édifices religieux, l'abbaye d'Aniane est entièrement détruite lors des guerres de religion. Elle comptait 300 moines au plus fort de son existence et n'en comptait plus que 16 avant la Révolution. Elle devint bien national en 1791 et a été transformée en filature de draps et de coton, puis en prison lorsque la filature fit faillite. Elle appartint ainsi au ministère de la Justice jusqu'en 1998. Cette appartenance à l'état a permis de sauvegarder l'édifice en le conservant hors d'eau. Par exemple, l'escalier « Saint-Benoît » du XVIIᵉ siècle, bordé d'une rampe en fer forgé a été préservé. Depuis, rien n'a été entrepris pour sauver cet édifice qui tombe lentement en ruine. De courageux bénévoles et passionnés tentent de promouvoir et de restaurer le patrimoine local au sein de l'association Saint-Benoît d'Aniane, tout en faisant connaître l'œuvre de Saint-Benoît. Longtemps ignorée par les autorités, l'abbatiale Saint-Sauveur n'est pas non plus en très bon état. Son orgue magnifique vient d'être restauré, mais des mesures d'envergure doivent être prises pour que l'ensemble le soit aussi.

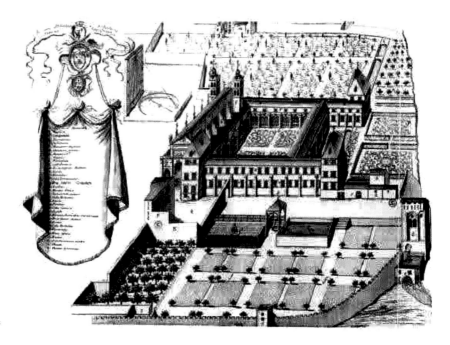

Vue d'ensemble de l'abbaye, extraite du monasticon gallicanum (recueil de 168 planches gravées au trait par Dom Michel Germain en 1694 et qui représentent les abbayes et les prieurés bénédictins affiliés à la congrégation de Saint-Maur. Elles sont conservées aux Archives de France).

Avec le soutien de Charlemagne, Benoît fit construire en 782 une abbatiale de style byzantin, dédiée à Saint-Sauveur. L'Empereur la dota de reliques saintes : une épine de la couronne du Christ et deux parcelles de la vraie croix enchâssées d'or, don de l'empereur de Constantinople.

Lors des guerres de religion, l'armée du Duc de Rohan assiège Aniane en 1562 et ravage le monastère, longtemps inutilisable. Les moines d'Aniane et les Bénédictins de la congrégation Saint Maur se sont associés en 1635 pour reconstruire les bâtiments. L'église abbatiale fût consacrée par le cardinal Pierre de Bonzi en 1683.

Balade au centre-ville

Commencez votre visite par la rue Porte-de-Saint-Guilhem qui démarre de la départementale, face à la rue Saint-Guilhem (parking possible à côté de la salle des fêtes). À droite, vous distinguerez, à l'étage de la première façade, les sculptures de 7 visages intercalés entre les fenêtres. Les croyances locales y voient les sept péchés capitaux. Descendez la rue jusqu'au bas où se trouve la mairie. Il s'agit d'un ancien marché couvert, construit en 1780. Sur la façade, guirlandes enrubannées et cannelures des consoles qui supportent le balcon, sont typiques du travail d'ornementation de la fin du XVIIIe siècle.

Continuez rue du Mazel et remarquez au n° 8 une façade de la fin du XIXe, d'époque Napoléon III, sur laquelle sont visibles les initiales de Léon Galby.

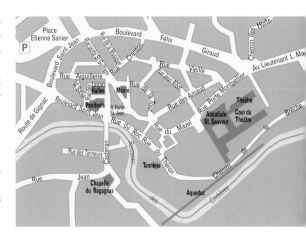

Façade du XIXe siècle
Hôtel de ville
Un des 7 visages sculptés

Continuez jusqu'aux voûtes de l'ancien marché aux moines d'où vous apercevrez une fontaine de la fin du XVIIIe siècle. Érigée sur la place de l'église lors des travaux d'adduction d'eau de 1783, elle fut coiffée d'une statue en 1886. Indécente, car en partie dénudée, la statue tourne le dos à l'église.

L'église Saint-Sauveur

De style baroque, l'église fait l'objet de projets de réhabilitation. Son orgue du XVIIIe siècle vient d'être restauré.

Les deux volutes en forme de corne de bouc que vous apercevez sur la façade évoquent l'église de Jésus à Rome. Huit colonnes superposées et jumelées soutiennent un fronton surmonté d'un Christ. Entre les colonnes géminées, on aperçoit les statues des apôtres Pierre et Paul, saints patrons du diocèse de Maguelone puis de Montpellier. L'intérieur de l'église présente une grande unité de style avec un autel consacré à la Vierge construit au XIXe siècle. Vous ne pourrez qu'admirer l'imposante succession d'arcades supportant une corniche ornée d'une frise de style corinthien, ainsi que, sur la première clé de voûte près du chœur, l'emblème de la congrégation de Saint-Maur et la décoration d'angelots portant sur des thèmes bibliques.

Continuez votre promenade par la rue Porte-de-Montpellier qui possédait à son extrémité une porte d'accès au bourg, dont il ne reste qu'une partie visible sur un mur. Au passage, vous aurez remarqué, au n° 14, les colonnes d'une galerie romane découvertes à l'occasion de travaux sur la façade.

Passé cette « porte », vous apercevez à droite l'ancienne abbaye. Ou plutôt ce qu'il en reste, car lors de la révolution de 1789 le monastère a été vendu comme bien national. Il a été transformé au gré des propriétaires successifs pour rester à l'abandon depuis 1998. La promenade de découverte se poursuit en continuant sur l'avenue du Lieutenant

Apôtres Pierre et Paul   Église Saint-Sauveur

Origine d'Aniane

Les nombreux ouvriers qui participèrent aux travaux s'étaient établis tout autour du monastère, créant un noyau d'habitations.

Quand la famine de 793 conduisit une foule d'affamés à venir chercher pitance auprès des moines de l'abbaye, ce noyau grandit et devint la cité d'Aniane.

Au Moyen Âge, il existait des fortifications pour protéger la ville, équipées de 3 portes pour accéder au bourg. Il n'en reste plus que des traces de part et d'autre de la rue de Montpellier.

Plus tard, c'est sous le règne de Louis XIV que certains bâtiments adopteront le style baroque, genre qui a perduré aux XVIIᵉ et XVIIIᵉ siècles et qui est encore visible de nos jours.

Progressivement, la ville va s'étendre au-delà du ruisseau qui, entre-temps, a changé de nom en devenant Corbières.

À l'agriculture traditionnelle s'est ajouté au fil des ans un savoir faire dans le travail du cuir. Après le gel de 1721 qui a détruit toute l'agriculture, les tanneries, très nombreuses à l'époque, ont permis à la ville de survivre.

Sur le plan économique, la culture de l'olive est toujours présente bien que l'huilerie coopérative et la distillerie ont cessé toute activité au milieu du siècle dernier. De son côté, la viticulture a relevé la tête après les désastres de 1863, avec la création de la cave coopérative en 1925. Les vins d'Aniane sont réputés, au-delà même de nos frontières.

Les saints Innocents et le roi

Un édit royal de 1533, renouvelé ensuite par les souverains successifs, institue la foire d'Aniane le 28 décembre, jour des saints Innocents.

Les Innocents et la légende

À la suite d'un vol commis entre Aniane et Gignac, ce sont des jeunes d'Aniane qui furent accusés. La comparution avait lieu au tribunal de Lodève où ils furent jugés non coupables, n'ayant rien à se reprocher.

Aussi, soulagés par le verdict, ils clamèrent leur innocence tout le long du trajet qui les ramenait vers Aniane. C'est du haut des charrettes qui les transportaient qu'ils criaient « nous sommes d'Aniane, nous sommes Innocents ». Et c'est depuis ce temps-là qu'on appelle les Anianais « les Innocents ».

Colonnes romanes

Louis Marres, avant de prendre à droite le chemin de la Brèche qui mène au canal de Gignac. Nous l'avons vu lors de notre passage à Gignac, ce canal, construit à la fin du XIXᵉ siècle, irrigue la plaine de l'Hérault jusqu'à Tressan à partir d'un captage en amont de Saint-Guilhem. Un aqueduc datant de 1889 et long de 294 m lui permet de traverser la rivière Corbières.

En poursuivant le long de l'aqueduc sur un chemin de terre, vous emprunterez la rue du Théron pour entrer dans le quartier des tanneurs qui abritait les ateliers de transformation et de préparation des peaux. La première moitié du XIXᵉ siècle est la belle époque des tanneries avec de nombreuses constructions nouvelles nécessaires à l'extension du métier. Le tannage au chlore fut la raison du déclin dès 1872. On trouve encore d'anciennes cuves chez certains propriétaires privés.

Après le petit pont sur la droite, se trouve l'église Saint-Jean-Baptiste (appelée aussi chapelle des Pénitents Blancs), construite à l'emplacement désigné par Saint-Benoît. Il s'agit de l'ancienne église paroissiale du village qui abrita une confrérie de Pénitents Blancs jusqu'au milieu du XIXᵉ. Cette église est remarquable en ce sens qu'elle possède des éléments de plusieurs époques. Côtés sud et ouest, on retrouve des parties préromanes et romanes, des fenêtres gothiques et une porte classée monument historique, contemporaine de Louis XVI. L'intérieur est tout aussi intéressant avec des voûtes restaurées au XVIᵉ siècle après les

Aqueduc du canal de Gignac

dégâts des guerres de religion. Admirez la voûte du chœur et sa rosace dans une clé annulaire. Trois autres clés de voûte portent les noms des consuls (an 1600).

Revenez sur vos pas et passez le petit pont qui vous fait remonter vers la chapelle de Regagnas datant du XVIIIe siècle. Cet édifice, récemment restauré, possède une belle statue en bois doré de la vierge à l'enfant datant du XVIIIe et utilisée lors des processions traditionnelles. La procession du 8 septembre commémore les vœux de la population contre les troubles de 1384 et les épidémies de choléra de 1849 et 1854.

Comme toutes les églises sont fermées en dehors des offices, n'hésitez pas à participer aux visites organisées par l'office de tourisme pour en découvrir les décorations intérieures.

Ensuite, revenez sur vos pas, vers l'église Saint-Jean-Baptiste, vous passez devant les halles, ancien marché couvert datant du XIXe siècle, puis sous les voûtes avant de tourner à droite puis à gauche dans la rue Porte-Saint-Guilhem que vous remontez pour rejoindre votre véhicule.

L'office de tourisme intercommunal propose une visite des sites principaux d'Aniane. Le personnel, très qualifié, vous accueillera pour vous faire partager ses connaissances sur Gignac, Aniane ou Saint-Guilhem. N'hésitez pas à les contacter, ils ont une maîtrise parfaite des lieux et surtout ils possèdent les clés des églises et chapelles qui recèlent souvent de petites merveilles.

Ancienne tannerie

Observatoire

Aniane est aussi connu pour son observatoire placé sur la colline de la Lauze au-dessus du village. Il organise des animations parmi lesquelles La nuit des étoiles *au mois d'août et dresse sept coupoles vers le ciel. Quelques télescopes, un coronographe et un spectroscope participent au plaisir des néophytes et des passionnés.*

L'église Saint-Jean-Baptiste, appelée aussi chapelle des Pénitents Blancs

Plaine viticole entre Puéchabon et Saint-Jean-de-Fos

➤ *C'est toujours la D32 qui vous conduit vers ce nouveau site.*

La superficie de la commune est de 3126 ha avec une altitude variant de 54 à 483 m. Les 346 habitants sont les Puéchabonais.

Puéchabon

Le charmant petit village médiéval de Puéchabon est perché sur le mont Albon dans un paysage de collines où règnent vignes et oliviers au milieu de la garrigue. C'est au XIe siècle que l'on retrouve dans les textes ce village fortifié selon une forme circulaire appelée « circulade » et caractéristique de nombreux villages du Languedoc.

Église Saint-Pierre-aux-Liens, Église de l'Immaculée Conception

Le village de Puéchabon compte trois églises dont l'une est très excentrée, la chapelle romane Saint-Sylvestre des Brousses, au milieu d'une garrigue odorante dominée par les vignes et les oliviers. D'architecture carolingienne, elle date du XIIe siècle et a remplacé un premier lieu de culte, la chapelle Saint-Hilaire de Montcalmés.

Moins d'un siècle plus tard, un nouveau lieu de culte est construit plus proche du centre-ville, dans le fort de Puéchabon. Il s'agit de l'église Saint-Pierre-aux-Liens. Comme beaucoup d'autres églises détruites et reconstruites, il ne reste rien de son architecture romane. Quelques siècles plus tard, pour tenir compte de l'expansion du village, une nouvelle église a vu le jour, en 1842, en bordure du vieux village: l'église de l'Immaculée Conception. Pour sa construction, une carrière de pierre a été ouverte à proximité, elle a aussi alimenté Montpellier en matériaux, notamment pour la construction de l'opéra et de plusieurs immeubles de la place de la Comédie.

Lors des guerres de religion, les catholiques revendiquaient leur foi en peignant, à la chaux, des croix blanches au-dessus de leur porte. On retrouve encore dans les villages de notre région de nombreuses habitations qui ont conservé cette marque de reconnaissance.

Église de l'Immaculée Conception

Église Saint-Pierre-aux-Liens

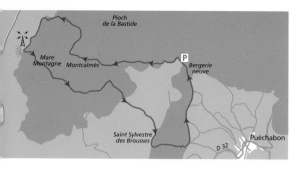

Circulades médiévales

Selon Krzysztof Pawlowski, auteur du livre « les circulades naissance de l'urbanisme européen », un village circulaire est un village médiéval dont le cercle est à la base de tout ou partie de l'organisation du système parcellaire.

Au départ, les premières traces urbaines au Moyen Âge étaient fondées sur le principe des « bastides ». Pour Krzysztof, les villages circulaires seraient apparus dans le Languedoc Roussillon deux siècles avant les bastides et auraient marqué alors la naissance de l'urbanisme européen.

Ce phénomène remonterait donc à l'an 1000, son apogée se situant entre 1080 et 1130. Ses origines pourraient être liées au symbolisme chrétien d'une part et aux impératifs de défense d'autre part.

Même controversée, cette théorie est intéressante pour expliquer la formation de ces villages très répandus dans notre région. Il ne faut pas oublier également la forte présence religieuse à cette époque et l'utilisation fréquente du cercle dans la représentation chrétienne du pouvoir de Dieu.

Un autre élément d'importance dans le choix de ce type de fortification est de considérer que les invasions successives nécessitaient une protection efficace. Dans ce cas, la forme circulaire, sans angle mort, était non seulement plus facile à construire, mais surtout à défendre, les guetteurs pouvaient ainsi repérer plus facilement les intrus.

Beaucoup de circulades ne sont pas un cercle parfait car souvent adaptées au terrain. Elles peuvent être de forme ovale ou en éperon selon la topographie des lieux. Quelques fois, la fonction de défense était renforcée par des parties plus hautes rappelant les donjons des châteaux forts. Dans ce cas, l'église était au centre de la circulade. Mais si un château était présent, il était au centre et l'église à l'extérieur du noyau central. C'était alors une question de pouvoir entre les religieux et le châtelain. C'est le plus protecteur qui l'emportait !

Balade au cœur du causse de Puéchabon

Voici une promenade familiale sans difficulté si ce n'est sa durée, 4 h 30 pour environ 15 km, à faire en demi-saison ou en hiver car l'ombre et l'eau y sont rares. Toutefois, les paysages et les nombreux points de vue la rendent très intéressante.

À l'intérieur du village, dirigez-vous vers le calvaire en bordure de la route principale, remontez la voie qui le borde et de suite à droite prenez la route étroite de Lavène. Au bout de 2 km vous arrivez à la Bergerie Neuve. Si vous êtes venus en voiture, garez-vous sans gêner la circulation. La piste qui monte à gauche vous conduit au hameau de Lavène qui existait déjà au XIIe et qui comptait 28 habitants en 1791. Poursuivez votre promenade par le chemin qui tourne à gauche après les ruines, balisage jaune. En route, vous passerez devant une lavogne (point d'eau pour les moutons) appelée quelques fois « Lac de Ramassèdes ».

Continuez tout droit en laissant la piste de gauche pour gagner, après 600 m, l'ancien village de Montcalmès et les ruines de son « château » – offert par Charlemagne à Saint-Benoît – qui laissent entrevoir la robustesse d'une construction de qualité qui témoignent avec nostalgie de la vie sur ce plateau déserté.

En continuant, vous passerez devant un autre point d'eau et deux pistes qui partent à gauche. Vous devez prendre à droite un chemin au milieu des chênes verts et quelques fois des ruches (soyez prudent) Vous atteindrez ainsi la limite ouest du plateau, au-dessus des gorges de l'Hérault avec une vue sur les monts de Saint-Guilhem et la combe de Gellone.

La piste part sur la gauche, elle est partiellement empierrée à cet endroit. À hauteur d'une petite borne dans le dernier tournant, vous prendrez un sentier qui mène, vers le sud, au relais de télévision. Là, dame nature vous distille ses richesses en vous offrant une vue magnifique sur le village de Saint-Guilhem, le cirque de l'Infernet et la Séranne. Le retour se fait par le chemin d'accès au relais.

Arrivé à un carrefour, prendre sur la gauche la piste principale puis la seconde piste à gauche vers le sud. Elle redescend sur l'église Saint-Sylvestre des Brousses, permettant une halte méritée. Perdue au milieu des vignes habillées des couleurs de saison et des

Puéchabon

oliviers, la chapelle Saint-Sylvestre des Brousses vous ramène plusieurs décennies en arrière, au XIIe siècle. Très fréquentée par les pèlerins de Saint-Jacques-de-Compostelle, elle est ensuite délaissée, au XVIIIe siècle, au profit des églises plus proche du bourg. Elle doit à son isolement son excellent état de conservation. Associé à la compétence de ses constructeurs, son état la classe comme un des chefs-d'œuvre de l'art roman languedocien.

Pour rentrer, vous prendrez à gauche derrière l'église un chemin qui descend dans le vallon avant de remonter sur l'autre versant par le Fond-de-la-Coste. Arrivé à la croisée des chemins au petit col d'où l'on voit le clocher de l'église, prenez le chemin à gauche, balisé en rouge. La montée à travers bois vous ramènera, en prenant toujours à droite, à la petite route qui conduit à gauche vers la Bergerie Neuve.

Montcalmès

Puéchabon, maisons avec croix blanches et architecture interne à la circulade

Chapelle Saint-Sylvestre des Brousses

Aux alentours de la chapelle Saint-Sylvestre des Brousses

Économie

*Sur le plan économique, la culture de la vigne
domine avec de bons crus ainsi que l'oléiculture avec
de nombreux oliviers qui participent à la qualité des
garrigues environnantes.*

*On peut voir chez des particuliers d'anciens moulins
à huile, malheureusement non accessibles au public.*

*Un ancien moulin de ce type, installé à Aniane, a été
déménagé sur l'exploitation « Olivie » de Combaillaux
(voir livre Le pic Saint-Loup). Il fonctionne pour des
démonstrations de fabrication d'huile d'olive pressée
à l'ancienne, à partir de vieilles souches d'oliviers
préservées et plantées du côté d'Aniane, en particulier
autour de la chapelle Saint-Sylvestre.*

*Par le passé, la richesse du village était due à ces
cultures et à l'exploitation des bois qui entourent le
village.*

*Une anecdote : le village avait été éclairé au gaz
avant la ville de Montpellier grâce à un barrage
ayant permis en 1892 l'adduction d'eau et la
construction d'une usine à gaz.*

Moulin à huile

Il serait le plus vieux pont roman de France et résiste depuis plus de 1 000 ans aux colères des crues cévenoles que l'on a déjà vues faire grimper de 10 m le niveau du fleuve.

L'ouvrage fut construit vers 1030 et à frais partagés par les abbayes de Gellone et d'Aniane qui occupaient les deux rives du fleuve. Celle d'Aniane et ses moines s'engageaient à payer les matériaux : pierre, chaux, sable, fer, plomb et cordes. Celle de Gellone et ses moines devaient pour leur part payer l'architecte et le maître maçon. Un contrat très précis stipulait qu'aucune des deux parties ne devait en tirer avantage direct pour sa paroisse. Il précisait aussi que ni chapelle, ni fort, ni péage ne devait y être construit.

Le pont, utilisé pour faciliter le cheminement des pèlerins vers Saint-Jacques-de-Compostelle, était connu sous le nom de « pont sur le Gouffre noir » avant le XIVe siècle.

Le pont du Diable est classé Patrimoine Mondial par l'UNESCO au titre des chemins de Saint-Jacques-de-Compostelle, dans un site commun avec les gorges et la grotte de Clamouse. Il est fermé à la circulation depuis la création, en 1932, du pont actuel.

La légende du nom

Lors de la construction du pont, le diable, la nuit, s'empressait de réduire à néant les travaux effectués par les deux abbayes. Saint Guilhem dû pactiser avec le diable pour qu'il cesse ses méfaits. Il promit au diable l'âme de la première créature qui franchirait le pont lorsque celui-ci serait terminé. La première âme à passer sur le pont fut un chien, baptisé pour l'occasion, auquel on avait attaché une casserole et une poêle. Le diable, fou de rage, tenta de détruire le pont mais en vain ! Par dépit, il se jeta dans le fleuve, créant ainsi le gouffre noir « gurgito nigro » profond de 30 m sous le pont. C'est l'origine du premier nom de Saint-Jean-de-Fos, (Sancti-Johannis-de-Gurgito-Nigro).

Vallée de l'Hérault

Le pont du Diable, XIe siècle

Pour continuer votre promenade, il faut revenir sur vos pas en direction d'Aniane et bifurquer à droite (D27E1), direction Chapelle Saint-Sylvestre. La petite route descend vers l'Hérault au milieu des vignes et des oliviers. Attention, elle est étroite, ne roulez pas trop vite si vous êtes en voiture. À mi-parcours, vous repérerez une petite route sur la droite qui vous conduit à la chapelle. Pour ceux qui n'ont pas fait la balade précédente, c'est là l'occasion d'aller à sa rencontre. Le coin pique-nique peut être une raison d'y retourner si vous avez fait la balade en dehors des heures de repas. En reprenant la route précédente, vous arrivez par la D27 au pont du Diable. Un aménagement de la plage et un parking permettent aux visiteurs une meilleure sécurité et un service de navettes gratuites assure un transport jusqu'à Saint Guilhem. De plus, la création sur place d'une « Maison du Grand Site » offre un panorama des richesses de la vallée de l'Hérault.

Le pont du Diable enjambe le fleuve Hérault en un point des plus étroits de son parcours, lieu appelé « Le gouffre noir », enchâssé dans les rochers à l'endroit même où les eaux bouillonnantes et vigoureuses commencent à se calmer. Ce fleuve prend sa source au mont Aigoual, à 1 400 m d'altitude, au cœur des Cévennes et dévale plus de 1 000 m de dénivelé dans ses 10 premiers km, avant de parcourir un long chemin jusqu'à la mer Méditerranée dans laquelle il se jette à Agde. Après Ganges et Laroque, il a creusé, au fil des millénaires, dans les roches calcaires, des gorges impressionnantes qui se resserrent au niveau de Saint-Guilhem-le-Désert jusqu'au pont du diable. À partir de là, son parcours dans la plaine est plus calme, même si les crues mémorables liées aux phénomènes cévenols montrent son caractère fougueux.

En de nombreux points de son lit, il offre des possibilités de baignade, de pêche ainsi que la pratique du canoë.

Plage du pont du Diable

À proximité : Saint-Jean-de-Fos

*Le 14 décembre 804, Saint-Guilhem offre à
l'abbaye de Gellone le fisc royal de Litenis qui
représente le territoire actuel du village de Saint-
Jean-de-Fos, situé sur la rive droite de l'Hérault au
niveau du pont du Diable.*

*À partir de la construction du pont, le passage
devient important et le village se développe,
s'organise en circulade, cultive vignes et oliveraies et
élève chèvres et moutons.*

*C'est à partir du XIVᵉ siècle que l'artisanat
apparaît autour des potiers. Le village continue son
développement hors des remparts et compte, vers
1850, 1 600 habitants et 70 fours de potiers. Puis
vient le développement de la tonnellerie pour la
conservation des olives. Le gel de 1956 détruit la
plupart des oliveraies et ruine les producteurs qui
abandonnent tonnelleries et moulins à huile.
Aujourd'hui, les potiers sont de nouveau présents.
Comme dans tout ce territoire, les oliveraies,
réhabilitées, relancent l'oléiculture et la viticulture
produit des vins de qualité.*

Vue des 3 ponts : pont du Diable, pont routier et pont du canal de Gignac

44

Moulin de Brunan

> *Après le pont, vous êtes sur la D4.*

Les moulins

Depuis la route qui mène à Saint-Guilhem, vous apercevrez des ruines en bordure du fleuve, ce sont d'anciens moulins.

Dès le Moyen Âge, un grand nombre de moulins furent construits le long de l'Hérault, utilisant la force motrice de l'eau. Qu'ils soient à blé ou à huile, insubmersibles et fortifiés, ils participent à l'économie de la région en permettant aux paysans de venir y moudre le grain contre redevance. Certains moulins sont inaccessibles compte tenu de leur état et de la dangerosité des lieux. On peut encore bien deviner l'architecture de celui de Plancameil (XIIᵉ siècle) dans lequel des meules sont encore présentes. D'abord moulin drapier aux XVᵉ et XVIIᵉ siècles, puis moulin à blé et à foulons aux XVIIᵉ et XVIIIᵉ siècles.

À proximité, vous pourrez voir les moulins de Clamouse (XIᵉ siècle) et de Brunan (XIIᵉ siècle) avec leur architecture particulière en demi-lune qui devait leur permettre de résister aux crues du fleuve particulièrement violentes à cet endroit où le lit de l'Hérault se rétrécit.

Un sentier, depuis Saint-Guilhem, longe le fleuve depuis le parking des bus pour accéder au moulin de Plancameil au bout de quelques centaines de mètres.

Meules du moulin de la tour de Plancameil
Moulin de la tour de Plancameil

Exutoires après de fortes précipitations, situés sous le bâtiment de la grotte

La grotte de Clamouse

Visite incontournable d'une des plus belles découvertes aménagées pour le tourisme. Ce sont des spéléologues de Montpellier qui l'ont découverte en 1945, émerveillés par plus de 4 km de réseau qui avaient caché jusque-là de véritables merveilles de fines concrétions de calcite et d'aragonite. Plusieurs types de concrétions existent ici : fistuleuses, excentriques, disques, buffets d'orgue et autres aiguilles d'aragonite toujours en formation. Un véritable voyage dans le temps en observant une synthèse de tout ce que le monde souterrain peut nous offrir.

Il a fallu la sécheresse de l'été 1945 et le désamorçage du siphon d'entrée pour que ce lieu, si proche de la route, soit enfin offert au monde. Car, jusque-là, Clamouse n'était qu'une source qui alimentait l'Hérault par 3 exutoires permanents. Le premier, 100 m environ en amont du moulin ruiné, est à 2 m du niveau d'étiage; le second, est à 4 m au-dessus de ce niveau, 80 m en amont du moulin ruiné; le dernier est situé à 1 m environ sous le niveau d'étiage et à 75 m en aval du moulin ruiné. D'autres exutoires temporaires existent et se mettent en charge lors de fortes précipitations.

L'entrée de la grotte se situe à flanc de montagne et pour l'accueil du public, un parking a été construit ainsi qu'une aire de pique-nique. Au niveau de la grotte, deux entrées supplémentaires permettent de faciliter la visite touristique organisée selon un parcours de 900 m, partant des galeries basses nommées « Labyrinthe » pour accéder aux étages supérieurs les plus anciens. C'est dans la partie fermée au public que Michel Siffre, en 2000, isolé pendant plusieurs mois, a été l'acteur principal d'expériences scientifiques visant à étudier le comportement et les données physiologiques de l'homme privé de repère temporel.

La légende du nom « Clamouse »

Dans les gorges de l'Hérault, vivait une famille très pauvre, une mère de 6 enfants abandonnée par son mari. Lorsqu'il fut en âge de travailler, l'aîné devint berger sur le causse du Larzac, près de La Vacquerie. En raison de la distance, il ne revenait qu'une fois par an dans sa famille, ce qui désespérait sa mère. Un jour, rentrant des herbages avec l'argent qu'il avait gagné, il fut surpris de trouver dans sa maison un morceau de bois qu'il avait sculpté là-haut et jeté dans un gouffre profond du causse. C'est sa mère qui l'avait trouvé près de la source où elle allait puiser l'eau pour les besoins de sa famille et de son potager. Ce morceau de bois, entraîné par les eaux souterraines, allait servir de messager pour sa mère. Tous les mois, il mettrait un bâton sculpté à l'eau pour dire à sa mère que tout allait bien.

Une année, le troupeau fut décimé par la maladie. Le petit pâtre en profita pour envoyer un agneau par ce moyen de communication, en pensant que sa famille en avait besoin et que son patron ne s'en apercevrait pas. Sa mère vit ainsi arriver régulièrement des agneaux à la source.

Mais un jour, croyant récupérer une de ces bêtes, c'est le corps de son fils que les eaux lui donnèrent. Il avait été emporté dans le gouffre par un agneau, plus vigoureux que les autres et traîné par les eaux tumultueuses vers la source. La mère, devenue folle, vint désormais chaque nuit montrer sa peine devant la source en hurlant de désespoir.

Aux alentours, les paysans qui entendaient ses cris l'ont surnommé «la clamousa» (la hurleuse), nom qui est resté jusqu'à nos jours pour la source.

Adapté du texte original de François Dezeuze dit « l'Escoutaïre ».

➤ En continuant la D4 qui longe les gorges de l'Hérault, vous arriverez immanquablement dans un petit paradis.

Saint-Guilhem-le-Désert

Né en 754, petit-fils de Charles Martel et cousin de Charlemagne, Guillaume (Wilhelm de son nom franc), fit des études militaires comme il se devait à cette époque. Il participe à plusieurs campagnes militaires de Charlemagne (guerre d'Aquitaine en 770, contre les Saxons en 771, en Lombardie en 773, contre les Sarrasins en 778, en Bretagne en 786, en Bavière en 787…). Son courage et sa vaillance lui valent les honneurs militaires et, en récompense, il fut nommé en 789, comte de Toulouse et en 793, duc d'aquitaine. En Languedoc, il stoppa l'invasion du calife de Cordoue à Narbonne en 793, renvoyant les Sarrasins en Espagne, avant de participer à la prise de Barcelone en 803. C'est la dernière victoire de Guillaume. Il retrouve Witiza, son ami d'enfance, qui l'initie à la religion et s'installe dans le val de Gellone pour y mener une retraite monastique. Il choisit ce territoire, qu'il qualifiait de désert, pour s'isoler, loin de toute population car éloigné de la plaine fertile. Désert en l'absence de l'homme, mais avec un ruisseau (au débit plus important à l'époque), qui apporte l'eau nécessaire à la vie des hommes, des animaux et de la végétation. Désert aussi, avec des roches rudes et protectrices assurant une relative tranquillité, dissimulé dans un massif rocheux imposant. Il y construisit un monastère en 804, en posant la première pierre du sanctuaire (le chevet) qui n'était qu'une *cella* bénédictine dépendant de l'abbaye d'Aniane. Elle se développa rapidement dès le Xe siècle pour devenir une abbaye, forte d'un morceau de la vraie croix du Christ canonisée, cadeau de Charlemagne qui la tenait du patriarche de Jérusalem. Lieu de nombreux pèlerinages, dont celui de Saint-Jacques-de-Compostelle, l'abbaye ne deviendra indépendante qu'en 1090 grâce au pape Urbain II. Elle prit le nom de son fondateur, saint Guilhem, au XIIe siècle.

La cité de Saint-Guilhem s'est alors peuplée rapidement pour atteindre près de 1 000 habitants en 1880. L'exode rural a vu ce nombre diminuer depuis, mais le village, aujourd'hui classé, attire énormément de touristes, surtout l'été (800 000 chaque année). Ils sont intéressés par l'abbaye, l'histoire, la beauté des paysages, la richesse des balades et sites à proximité, la fraîcheur de l'Hérault et les nombreuses boutiques d'artisanat d'art qui occupent aujourd'hui une grande partie des maisons.

Chaque ruelle doit être parcourue pour en admirer les façades, souvent restaurées, et profiter de l'empreinte historique du lieu. La place centrale, dotée d'un magnifique platane planté le 21 janvier 1855 (6 m de circonférence), permet de se rafraîchir et de se restaurer. C'est là que se trouve l'entrée de la splendide église romane du XIe siècle. Elle donne accès au cloître et permet d'admirer de nombreux trésors, architecturaux, historiques et religieux. La fontaine a été construite le 26 septembre 1907 en commémoration de la crue du Verdus.

L'éventail et ses cascades

La superficie de la commune est de 3 864 ha avec une altitude variant de 54 à 812 m. Les 245 habitants sont les Sauta Rocs (sautes rochers).

La source de Fontcaude

C'est un éventail naturel en bordure de l'Hérault qui nous offre une myriade de cascades faites de gouttelettes étincelantes dans de véritables rideaux de perles. Ce phénomène est visible sous certaines conditions de pluviométrie. Si le niveau du fleuve est trop haut, il passe au-dessus de l'éventail et le rend invisible. Si, au contraire, la sécheresse sévit, l'eau ne s'écoule pas et n'offre pas le spectacle attendu. Il faut donc quelques précipitations pour que l'eau s'écoule 700 m environ en amont de la grotte de Clamouse et 300 m après une maison sur la droite et une toute petite aire de stationnement, sur la gauche. Un pan rocheux domine la route à cet endroit. L'éventail peut alors être vu en se penchant avec précaution sur le parapet.

La légende selon l'Escoutaïre

Cet endroit est aussi appelé le « Saut du pâtre ». Un jeune berger avait enlevé une pastourelle. Poursuivi par un chevalier, il sauta à cet endroit d'une rive à l'autre et gagna la garrigue où il put se dissimuler. Le chevalier croyant que le pâtre avait perdu la vie, cessa la poursuite. On dit même qu'il reste encore les traces de ses pieds incrustés dans le roc…

Daniel Caumont, *dont la connaissance des monts de Saint-Guilhem est immense, nous indique que la source de Font-Caude (Fontaine chaude en occitan) naît en rive gauche de l'Hérault, 1,5 km en aval de Saint-Guilhem et une vingtaine de mètres au-dessus de l'Hérault. L'endroit est encaissé et surplombé d'un imposant massif de tuf. Au pied d'un massif de dolomie se trouve une grotte cachée derrière un rideau de végétation. Elle peut être parcourue sur quelques mètres, mais son exploration réelle nécessite un matériel adapté en raison d'un plan d'eau siphonnant. C'est l'eau qui sort de cette cavité et s'épanche sur l'immense pierre de l'éventail qui nous offre cette succession de petites cascades.*

L'âne sauvé des eaux

On raconte que lors de la crue de 1907, un âne, attaché au platane centenaire, fut détaché et emporté par les eaux d'une violence inouïe. Heureusement pour lui, les portes nord et sud de l'abbaye avaient été laissées ouvertes pour favoriser l'évacuation des eaux. La force de la crue l'entraîna dans l'abbaye et notre animal se retrouva assis sur le maître-autel au fond de l'abside !

D'anciennes fortifications demeurent visibles : la tour des Prisons, quelques morceaux des remparts et l'ancienne église Saint-Laurent, forteresse aujourd'hui occupée par l'office de tourisme. Le village est niché aux pieds d'impressionnantes falaises calcaires desquelles jaillit le Verdus aux eaux cristallines. Ce ruisseau qui rafraîchit le village, parcourt les champs d'oliviers avant de rejoindre le fleuve Hérault. Saint-Guilhem est le départ, vers le nord, de plusieurs balades à ne pas manquer : le superbe cirque de l'Infernet, plusieurs grottes, l'ermitage de Belle Grâce et le château du Géant que l'on peut voir de loin mais que l'on ne peut approcher par arrêté municipal pris en précaution à la chute des vieilles pierres.

À chaque fois, vous ne manquerez pas d'admirer les paysages en les respectant. Il y a ici une faune et une flore très riches et très fragiles (cf. le pin de Salzmann).

Office de tourisme
Tour des Prisons

Ruelle et passage

Au titre de la convention internationale
pour la protection du patrimoine culturel et naturel
LES CHEMINS DE SAINT-JACQUES DE COMPOSTELLE
en **FRANCE**
ont été inscrits par
l'UNESCO
sur la liste du Patrimoine Mondial
afin qu'ils soient protégés au bénéfice de toute l'humanité.

L'ANCIENNE ABBAYE DE GELLONE
et les autres monuments notables inscrits à ce titre des jalons
sur les routes qu'empruntèrent au moyen-âge d'innombrables pèlerins.

· MCMXCVIII ·
· 1998 ·

Histoire de l'abbaye

Alors que le corps de Saint-Benoît d'Aniane est enterré à Aix-la-Chapelle, celui de Saint-Guilhem fut déposé en premier ici, dans l'ancien narthex, avant d'être élevé dans la crypte vers l'an mil et dans l'abside en 1138. Un os de son bras droit et une dent sont déposés dans un sarcophage antique en marbre blanc placé dans le sanctuaire derrière l'autel. Ainsi, les pèlerins purent l'approcher plus facilement. À l'époque, d'autres reliques aujourd'hui disparues, une épine de la croix de J.-C. et une relique de la vierge, ont permis au monastère de recevoir des dons, principalement des terres et des églises, ce qui étendit ses possessions jusqu'à Nîmes, Rodez et Mende.

Ici aussi les guerres de religion ont laissé des traces, elles ruinèrent le monastère qui réussit à subsister grâce à la vente de toutes ses terres. Comme à Aniane, ce sont les moines Bénédictins de Saint Maur qui redonnèrent vie à ce lieu sacré en 1632. Au cours des travaux, ils retrouvèrent les reliques de Saint-Guilhem, cachées par les moines lors des tragiques événements. Après la Révolution, en 1793, l'abbaye fut donnée à l'évêché de Lodève et l'abbatiale fut transformée en église paroissiale.

Les bâtiments vendus ont accueilli une filature de coton, une tannerie, puis des maisons particulières.

Vue sur le village,
le Verdus, l'abbaye et, au fond,
le château du Géant

L'abbaye de Gellone

Description de l'abbaye de Gellone

Le porche s'ouvre par un portail avec une archivolte de 3 voussures constituées de gros tores qui reposent sur des colonnes antiques (chapiteaux décorés de feuilles d'acanthe et de têtes féminines du XIIe). Un décor en « dents d'engrenage » entoure l'ensemble. Il n'y a plus de tympan. Au-dessus du portail, on peut voir de part et d'autre, deux sculptures romaines. Lors des guerres de religion, pour renforcer la sécurité, des travaux de fortification ont ajouté la tour sur le porche. La tour Saint-Martin, deuxième vestige de l'église du Xe siècle, située dans la première travée de l'église romane, est un petit édifice carré et peu élevé. Le réfectoire (XVe) a des voûtes à croisées d'ogives. Ce porche, « le Gimel » (lieu de pénitence), fut terminé en 1199. Comme bien souvent, il est voûté en croisées d'ogives qui retombent sur des chapiteaux sculptés : palmettes, têtes de bœuf, lions et dragons. Il accueillait les pèlerins ou les malades en quête de guérison, mais aussi les non croyants et les pêcheurs qui souhaitaient se repentir.

La construction de l'orgue nécessita la suppression définitive de la grande tribune. Elle fut commencée par le facteur J.-P. Cavaillé de Pézenas avant la Révolution et l'orgue resta inachevé pendant longtemps (18 jeux sur 27 prévus). Il se compose d'un grand buffet baroque à deux corps en noyer sculpté. Le buffet principal a 5 tourelles couronnées d'anges musiciens et de trophées d'instruments de musique. Restauré depuis 1984, il est classé aux Monuments Historiques depuis 1974.

Dans l'abbatiale, on peut apercevoir des fonts baptismaux médiévaux en terre cuite qui viendraient de l'église Saint-Barthélemy, aujourd'hui disparue.

Le chœur de l'abbatiale est un chef-d'œuvre du premier art roman. Avec son large transept et ses 3 absides, il vint remplacer le sanctuaire carré de l'église primitive dont il ne reste que la confession (la crypte).

Orgue
Fonts baptismaux
Porte

Le Cloître

Le cloître inférieur date de la seconde moitié du XIᵉ siècle, il est dans le style de l'abbatiale. Mis à sac par les protestants en 1569, lors des guerres de religion, le cloître ne put être réparé qu'en 1658 lorsque les finances de l'abbaye furent meilleures. Alors qu'il comptait jusqu'à 8 galeries réparties entre les deux cloîtres (intérieur et extérieur), il est à nouveau détruit au début du XIXᵉ siècle par un maçon qui vend sans sourciller pierres et sculptures. C'est ainsi qu'on retrouve dans les alentours des habitations construites avec des morceaux du cloître. Heureusement, beaucoup de pièces furent sauvées par des amateurs éclairés. 148 pièces sont aujourd'hui au musée des Cloîtres, créé en 1938 à New York.

Intérieur du cloître et traces des anciennes ouvertures

L'abbaye de Gellone

Le musée de l'Abbaye de Saint-Guilhem-le-Désert

 a été inauguré en juin 2009. Sa création a bien entendu des objectifs économiques sur le plan touristique, mais avant tout c'est un outil culturel pour tous, compte tenu de son ouverture gratuite aux jeunes de moins de 26 ans appartenant à l'Union Européenne et pour une somme modique aux autres. Il offre un enrichissement culturel lié au site, qui se prévaut d'une rigueur historique et d'un ensemble de moyens (film de présentation, reconstitution numérique du Cloîtres, système d'audioguidage et bien entendu de pièces historiques).

L'église abbatiale classée au patrimoine mondiale de l'Unesco, ses reliques, ses autels des VIIe et XVIIIe siècles, son orgue historique, associés au cloître roman (le plus ancien cloître roman) et à la collection des éléments lapidaires constituent la muséographie de l'abbaye.

Saint-Guilhem-le-Désert

Ancienne chapelle des Pénitents Blancs

Les pèlerins de Saint-Jacques-de-Compostelle

Ils sont souvent évoqués dans cet ouvrage. Depuis le IXe siècle, ce pèlerinage chrétien a pour but de se rendre en Galice, à la cathédrale de Saint-Jacques-de-Compostelle dans laquelle se trouverait une urne contenant les restes de l'apôtre Jacques le Majeur. Les quatre routes principales pour y aller, depuis la France, sont décrites par un moine poitevin, Aimery Picaud. Le pèlerinage accompli, chaque pèlerin se voyait remettre une coquille de pectens qu'il fixait sur son manteau ou son chapeau. Ce mollusque est aujourd'hui plus connu sous le nom de coquille Saint-Jacques.

La cardabelle

Lors de votre promenade dans le village, vous verrez cette plante sur de nombreuses portes. Le fond était autrefois mangé comme celui de l'artichaut. Cette plante des Causses servait à carder la laine et était utilisée comme baromètre car elle se referme quand vient l'humidité. Censée porter bonheur selon la croyance populaire, elle est en voie de disparition et c'est désormais une espèce protégée.

Les balades

Les monts de Saint-Guilhem sont une source d'innombrables promenades ou randonnées. Le territoire de la commune est très étendu, avec 3 200 ha de garrigues et 600 ha de bois. Il regorge de sites magnifiques, sentiers botaniques, maisons forestières, grottes (de Brunan, du sergent, du Cellier), des cascades, des points hauts (Pioch de Roquebrune à 815 m, Pioch Launet à 819 m), des avens et des mégalithes rappelant que l'homme a fréquenté ce territoire depuis la nuit des temps.

Porte des anciens remparts

Château du Géant et vue sur le village

Le château du Géant (ou de Verdun)

Depuis quelques années, un arrêté municipal en interdit l'accès jugé trop dangereux. Ce n'est donc qu'une balade visuelle qui vous est proposée pour découvrir ce château. S'il est placé avant les autres circuits proposés, c'est tout simplement parce que vous pourrez le voir depuis le village et depuis de nombreux autres points de vue tout autour.

La légende du château

Le château date du IXᵉ siècle et, comme tout château qui se respecte, il fait l'objet d'une légende. Le seigneur qui vivait là-haut était un géant sanguinaire qui n'avait pour seule compagne qu'une pie. Régulièrement, des chevaliers en quête de notoriété venaient le défier. C'est la pie qui le prévenait, avec parfois de fausses alertes pour lui jouer des tours. À force de crier au loup, le jour où Guilhem vint le défier, le géant ne crut pas sa messagère. Guilhem, profitant de l'effet de surprise, combattit le géant, gagna le combat et fit tomber le propriétaire des lieux du haut de son château. On raconte que depuis ce jour-là, les pies ne vivent pas plus de trois jours dans le village.

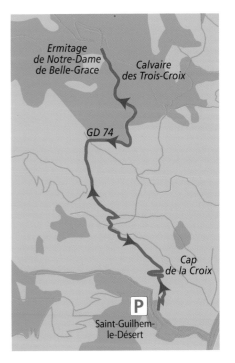

L'Ermitage
Le cirque de l'Infernet

L'Ermitage Notre-Dame-du-Lieu-Plaisant (ou de Belle-Grâce)

Il faut compter 3 bonnes heures aller et retour pour cette balade sans grande difficulté et pour laquelle il suffira d'être bien chaussé et d'avoir pris soin d'amener dans son sac à dos de quoi boire et quelques barres vitaminées.

À partir de la place de la Liberté, prendre la rue du Bout du Monde jusqu'à la dernière maison avant de bifurquer à droite sur une montée empierrée, c'est le chemin de l'Ermitage (fléchage rouge et blanc du GR74). Lors de la montée, vous aurez une vue magnifique sur le château du Géant à droite et sur le cirque de l'Infernet à gauche.

Vous passez sous une vieille porte des anciens remparts avant de monter en lacet jusqu'au col du Cap de la Croix. Laissez à droite le chemin qui mène au château et poursuivez le chemin principal toujours joliment empierré. Vous cheminez ainsi vers le nord, le long de la crête, en laissant un premier sentier qui part à gauche. Vous franchirez ensuite une petite combe.

N'hésitez pas à profiter des paysages et d'essayer de reconnaître la végétation. Au milieu des pins et des arbousiers, la garrigue vous offre les senteurs des nombreuses plantes qu'elle abrite.

Le sentier à flanc de montagne traverse plusieurs vallons avant que votre paisible déambulation vous fasse découvrir une oasis de fraîcheur qui vous indique l'arrivée près de l'Ermitage. Pour le retour, vous pouvez revenir sur vos pas ou continuer par le col de la Pousterle, suivre un balisage bleu qui vous ramène vers Saint-Guilhem. Une autre alternative est de revenir par la baume de l'Olivier.

Adossé au massif dolomitique du Ginestet, dans un petit écrin de verdure au creux de la falaise, le sanctuaire se blottit à l'abri du soleil et du vent.

Les pèlerins de Saint-Jacques-de-Compostelle y trouvaient un refuge et une halte pour se restaurer et se rafraîchir auprès de la petite source qui jaillit à l'arrière de l'édifice. La source n'a qu'un très faible débit, vous pouvez vous y désaltérer, mais n'oubliez pas de refermer le robinet. La chapelle est située du même côté que la source, on y accède par la droite du bâtiment en passant sous une voûte rocheuse.

Elle est très modeste, comme l'a souhaité son constructeur, Jean d'Albe, en 1395. On y trouve un autel en l'honneur de la Vierge Marie, autorisé par le pape Benoît XII. Dotée

Château du Géant .

Château du Géant

d'une cloche fondue à Pézenas le 30 juillet 1787, la chapelle, placée sous l'autorité de la paroisse Saint-Barthélemy, dépendait de l'abbé de Saint-Guilhem.

Deux pèlerinages, le lundi de Pâques, honorent le vœu de 1628 contre la peste et celui de 1723 suite à la crue du Verdus.

Les Fenestrelles (ou pont de pierres de l'Escaliou)

Le parcours de 4,5 km dure environ deux heures. Au départ, vous pouvez prendre le chemin au-delà du parking haut qui vous conduit au bord du Verdus dont le murmure vous conduira jusqu'au gué qu'il faut traverser. Un accès depuis le village est également possible par la rue du Bout-du-Monde.

Après 50 m, le chemin traverse à nouveau le ruisseau et vous devez vous engager à gauche sur un chemin cailouteux sous la falaise. Le balisage est rouge et blanc pour le GR 74 ou jaune. Depuis le chemin, la falaise de Bissonne est impressionnante, contre balancée derrière vous par le château du Géant dont les ruines se découpent sur fond de ciel bleu. Continuez le chemin sous la falaise en étant prudent sur certaines parties du parcours, surtout par grand vent, vous suivrez du regard les Fenestrelles, pratiquement jusqu'à votre arrivée. L'ouvrage d'art a été réalisé au XIIe siècle pour faciliter l'accès aux hautes terres moyennant un péage. Il s'agit d'un ancien escalier en lacets, aménagé par les moines en encorbellement dans la falaise. De là, la vue est magnifique sur la combe de Gellone et le cirque de l'Infernet. Pour le retour, vous pouvez revenir sur vos pas, mais la balade peut continuer en empruntant le ravin de la partie haute du Verdus au milieu d'une végétation typique de la région. Le sentier grimpe dans un paysage chaotique au milieu des rochers dolomitiques.

Plus haut, le sentier débouche sur la piste forestière des Plos. En prenant à gauche, vous arriverez au point de vue du Mas Nègre (535 m) d'où vous admirerez la vue au sud, avec la vallée de l'Hérault, Montpellier et la mer si l'atmosphère est claire.

Prendre ensuite le chemin qui part à gauche, vous serez alors au bord du plateau pour admirer les gorges de l'Hérault et le causse de Puéchabon. Le balisage indique le chemin qui descend vers le GR74 pour revenir sur Saint-Guilhem.

Une autre alternative, plus courte, mais réservée aux spécialistes des choses de l'alpinisme ou de l'escalade, est de revenir par la source du Verdus, faisant ainsi une boucle qui longe le ruisseau et vous ramène à votre point de départ.

Les Fenestrelles

La superficie de la commune est de 4519 ha avec une altitude variant de 68 à 640 m. Les 291 habitants sont les Caussenards.

➤ *Reprendre la D4 pour remonter vers le village du Causse-de-la-Selle.*

Le Causse-de-la-Selle

Le village du Causse-de-la-Selle est une paisible oasis au milieu du causse aride, dont les origines remontent au IXe ou Xe siècle, avec un habitat beaucoup plus dispersé qu'aujourd'hui. C'est un siècle plus tard que le village actuel prend vie avec la construction de la mairie et les maisons du plan du lac. On trouve encore des maisons construites en 1646, tout comme l'église Saint-André, bâtie certainement sur les bases d'une église plus ancienne, Notre-Dame-du-Lac, datant du règne de Charlemagne.
Placé sur les voies de transhumance, le village est un carrefour qui permet de retourner sur Montpellier et pour vous, de rejoindre la magnifique vallée de la Buèges.

Causse-de-la-Selle, église et rue du village

Transhumance

La superficie de la commune est de 1335 ha avec une altitude variant de 160 à 780 m. Les 54 habitants sont les Pégairollains.

Pégairolles-de-Buèges

En quittant le plateau du Causse-de-la-Selle, vous allez découvrir la vallée de la Buèges dont le calme contraste avec la fougue de l'Hérault. Ici, la végétation est abondante, le calme est roi au milieu des oliviers, des vignes et des vieilles pierres. La montagne de la Séranne, toute proche, étire sa protection le long de la vallée, en offrant un superbe panorama et des sensations fortes aux amateurs de vols libres. Plus loin, une escapade sur les berges de l'Hérault vous rafraîchira si vous faites ce parcours lors de fortes chaleurs, avant de découvrir Brissac et de vous diriger vers les dernières découvertes proposées. La D122 descend vers la vallée de la Buèges avec, dans les derniers lacets, un espace aménagé donnant un point de vue époustouflant sur cette immense vallée. Continuant la descente, vous atteindrez un carrefour à proximité de Saint-Jean-de-Buèges, que vous laisserez à droite pour continuer vers Pégairolles. Suivez l'indication de la source de la Buèges, sur la droite, et garez-vous sur le parking pour aller vous rafraîchir près de la source avant de commencer la balade qui incorpore la visite du village. Au-delà du village, la route des Lavagnes rejoint Arboras et Montpeyroux.
Si vous avez du temps, vous pouvez vous engager sur cette route riche en sites mégalithiques. Elle évoque aussi la charnière qu'était la vallée entre le diocèse de Melgueil et Substantion et celui de Lodève (et de l'autre côté celui de Nîmes).

Source de la Buèges

L'eau s'infiltre depuis les causses du Larzac au niveau des nombreux avens autour de La Vacquerie. Elle est filtrée par son passage souterrain dans le massif calcaire de la Séranne, avant de profiter d'une couche imperméable et de devenir, au Méjanel, une source (exsurgence) aux eaux limpides. Elle apparaît alors dans une grande vasque naturelle.

Église castrale

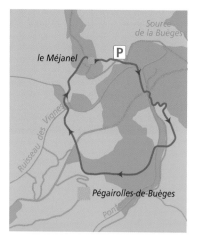

La balade du sentier Séranne – Pontel

Après avoir profité de la source de la Buèges et comme vous êtes garés sur le parking, c'est le moment de faire une petite balade familiale inscrite au Plan Départemental des Itinéraires de Promenade et de Randonnée (PDIPR). Le circuit proposé de 3 km se fait en 1 h 30 avec la visite du village, alors que son grand frère de 16 km nécessite 6 heures de marche.

Il faut d'abord traverser la D122 et longer le petit ruisseau du Pontel sur une centaine de mètres avant de bifurquer sur le premier chemin qui grimpe sur la gauche au milieu des faïsses. Traversez ensuite le chemin goudronné et dirigez-vous à gauche vers le village, après avoir franchi le pont qui enjambe le ruisseau.

Une fois arrivé au calvaire, remontez par le sentier de gauche pour la visite du village. Profitez d'être sur ce piton qui offre une vue dégagée sur la vallée pour en goûter toute la beauté.

Maison typique du village

Le village perché est un véritable nid d'aigle dont le château qui existait déjà au début du XIIe siècle devait verrouiller avec efficacité l'accès à la vallée. Il n'en reste plus qu'une tour, aujourd'hui privée, et de rares vestiges des remparts ainsi que deux portes fortifiées. L'église Notre-Dame est datée de 1162, elle appartenait au château. Délaissée quelques années au profit de l'église paroissiale située en dehors des remparts, elle est redevenue aujourd'hui l'église du village. Avec sa nef unique et sa cloche de 1641 (classée), l'église est ancrée dans le rocher. Son caractère massif laisse penser qu'elle participait aussi à des actions de défense de l'enceinte extérieure du château. Elle n'est ouverte que lors des offices. La promenade dans le village est très agréable, avec ses maisons à l'architecture pittoresque, ses ruelles caladées et ses nombreux vestiges qui rappellent son passé. Comme dans beaucoup de nos villages, les croix peintes à la chaux au-dessus des portes, témoignent de la ferveur catholique des habitants lors des guerres de religion. Remarquez, sur une façade, le cadran solaire de 1810. Dans la rue principale, peu après l'atelier de Pauline Galindo, vitrailliste, vous verrez sur un mur un étrange anneau formé par une pierre blanche et polie. C'est là que le maréchal-ferrant attachait les chevaux pour les ferrer.

Revenez ensuite sur vos pas pour redescendre vers le cimetière et la Buèges.

Traversez la D122 puis le ruisseau de Coudoulières en utilisant un gué caladé si le niveau de l'eau le permet, sinon poursuivez votre chemin par la route. Au hameau du Méjanel, un sentier qui passe entre deux maisons vous conduira au point de départ.

Le retour vers Saint-Jean-de-Buèges longe ce petit affluent de l'Hérault qui offre de nombreuses aires de repos pour profiter de son eau de cristal, très agréable l'été.

Les faïsses ou terrassiers

Dans le fond des vallées, pour maintenir la terre et faire de la culture en terrasse, l'homme utilise les matériaux se trouvant à proximité, ici la dolomie locale. Ainsi, les étagements de faïsses permettent la culture de vignes, d'oliviers, de mûriers, de céréales, ainsi que des fruitiers et potagers.

Si les ouvrages ne sont pas entretenus, les murettes s'éboulent d'orage en orage, permettant à la végétation de reconquérir un territoire que l'homme s'était approprié. La dolomie est une roche composée de carbonates doubles ; calcium et magnésium, $CaMg(CO_3)_2$, qui réagissent différemment à l'action de l'eau. Son érosion est donc hétérogène selon la concentration de l'un ou l'autre des composants, ce qui explique l'aspect très tourmenté des roches utilisées. Des exemples du phénomène se sont produits dans la nature à une plus grande échelle pour donner des résultats étonnants comme le cirque de Mourèze ou le chaos de Montpellier-le-Vieux.

Cadran solaire de 1810

La superficie de la commune est de 1 690 ha avec une altitude variant de 144 à 806 m. Les 184 habitants sont les Saint-Jeannais.

➤ La D122 devient D1 peu avant l'entrée du village, quand vous apercevrez le château.

Saint-Jean-de-Buèges

Contrairement à Pégairolles juché sur son piton rocheux, Saint-Jean-de-Buèges est un petit village médiéval blotti dans la vallée au milieu d'une végétation luxuriante, entourée de vignobles réputés. Il s'allonge le long du Garrel – ruisseau qui alimente la Buèges – protégé par la Séranne (Peyre Martine et Roc du midi) qui s'étire d'un côté et par le château de Baulx (ou Tras Castel) du XIIe siècle, de l'autre. Au-dessus de celui-ci, un rocher imposant permet de faire de l'escalade.

L'impression de calme domine lorsqu'on arrive dans ce lieu qui, préservé du tourisme de masse, semble intemporel. La promenade dans les ruelles bordées de maisons anciennes d'architecture transversale et de platanes centenaires conduit vos pas vers l'église contemporaine du château où vous remarquerez les bandes lombardes du chevet ainsi que ses deux clochers dont l'un est particulièrement fin et élégant. Plus bas, la fontaine du Griffou, toujours du XIIe siècle, procure une eau fraîche et limpide que certains boivent, bien que nulle analyse n'y soit pratiquée.

Le village protégé par la Séranne

Tout autour de vous la nature est présente et offre des balades plus ou moins longues selon vos capacités. Longer la Buèges est plus rafraîchissant que si vous décidez de vous attaquer aux pentes arides de la Séranne qui contrastent à merveille avec la verdure de la vallée. Mais la Séranne vous offrira un splendide panorama sur la vallée de la Buèges et, de l'autre côté, sur celle de la Vis jusqu'au cirque de Navacelles.

En remontant la D1, peu avant la sortie du village, la Maison de Pays vous renseignera sur les diverses possibilités de découvertes, ainsi que sur les produits du terroir. Ici, l'olive et le raisin dominent avec des produits dérivés goûteux à souhait et un vin réputé que produisent, en cave coopérative, les quelques viticulteurs implantés sur le secteur. L'activité des magnaneries (élevage du ver à soie), très forte aux XVIIe et XVIIIe siècles et l'implantation de filatures ont disparu avec l'arrivée de la fibre synthétique, ne laissant plus que la vigne et les oliveraies comme activité économique associée à un tourisme bien maîtrisé.

Le circuit décrit plus loin reste familial et vous fera découvrir une partie des richesses de cette vallée enchanteresse.

En continuant vers Saint-André-de-Buèges, vous ne manquerez pas d'apercevoir dans le ciel les arabesques des voiles des parapentistes qui s'élancent depuis la Séranne à la recherche de sensations fortes.

Végétation luxuriante autour de Saint-Jean-de-Buèges

Les capitelles

Ce sont de petites maisons en pierre datant le plus souvent du XVIIIᵉ siècle. À l'époque, les cultures de fourragères, légumineuses, de vigne ou l'élevage ovin étaient monnaie courante. Ces cabanes servaient à entreposer les outils et les cultures et à abriter les paysans et les bergers. De forme plutôt pyramidale, les plus grandes atteignent 6 m de haut pour 4 m de diamètre. L'arrivée de la voiture, la création des routes, l'exode rural, la fin de l'activité pastorale sont autant de raisons qui ont conduit à l'abandon de ce type d'habitat. Nombreuses sont les capitelles en ruine et tombées dans l'oubli.

Aujourd'hui quelques-unes sont restaurées par les vignerons et nous pouvons ainsi en profiter et imaginer l'importance qu'elles avaient à l'époque.

Saint-Jean-de-Buèges

Balade à proximité de Saint-Jean-de-Buèges

N'oubliez pas de prendre de l'eau en quantité suffisante, la seule eau que vous rencontrerez est celle, non potable, de la rivière. Garez-vous au parking près de l'église et prenez la rue qui passe derrière celle-ci, en haut de la rue du Griffou.

Après les dernières maisons, vous prendrez à gauche le chemin indiqué « sentier Pierres sèches » qui grimpe entre des murs de pierres et s'élève lentement entre vignes et oliveraies. Après quelques dizaines de mètres, retournez-vous pour admirer, entre deux oliviers, le village et son château, dominateur, accroché à son rocher.

Peu après, le chemin se couvre de pierres et vous mène, par des marches empierrées, à proximité de deux capitelles blotties au milieu d'un amas de pierres (clapas). Revenez sur le chemin et suivez les indications du panneau en laissant le chemin de droite qui va beaucoup plus haut sur la Séranne, c'est le sentier du Caylaret. Continuez en remontant sur la gauche jusqu'au sommet de la colline, avant d'atteindre quelques minutes plus tard une petite route qu'il faut suivre pour retrouver Saint-Jean en flânant le long de la Buèges.

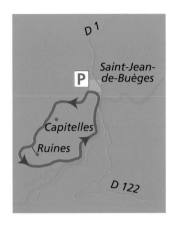

Vignoble de la Buèges

La Séranne

Cet imposant massif calcaire, visible des plages et de Montpellier, s'est formé voilà plus de 145 millions d'années et sa silhouette marque de sa présence le paysage du nord montpelliérain. C'est la frontière qui sépare la plaine du causse du Larzac par lequel se termine cet ouvrage. Depuis la crête, la vue porte sur Aigues-Mortes et ses salins, parfois le mont Ventoux, les plages, le Canigou, les Arbères, puis, au nord, les grands Causses et le mont Aigoual.

Ce qui le rend encore plus remarquable, outre sa hauteur de 942 m au point le plus haut, ce sont ses 25 km d'étendue, depuis le Roc Blanc, à l'est (entre Brissac et Gorniés) et

Vallée de la Buèges et Séranne

Arboras, à l'ouest, sous l'imposant mont Saint-Baudille. Il règne en maître sur la vallée ombragée de la Buèges tout en offrant aux amoureux de randonnées, de VTT et de promenades avec des ânes, des balades de toute beauté au milieu d'une nature rare et de merveilles historiques et archéologiques.

Les amateurs de parapente pourront, après avoir souffert pour arriver à l'aire d'envol, savourer une descente au rythme de leur technicité qui les aura menés à 2 000 ou 3 000 m d'altitude avant de se poser sur les quelques aires d'atterrissages organisées, voire ailleurs si les courants sont favorables. Ainsi, quelques-uns arrivent jusqu'aux plages et les plus techniques peuvent même survoler l'Aigoual.

Faune et la flore autour de la Séranne

Le plaisir de se promener dans la garrigue, les bois et les forêts est unique. Le mode de vie moderne et certaines mauvaises habitudes portent atteinte à la qualité de notre environnement. Nous avons le devoir de protéger la nature pour que nos enfants, nos petits enfants et leurs descendants puissent non seulement en profiter, mais aussi vivre comme nous le faisons aujourd'hui.

Les écosystèmes qui nous entourent sont fragiles, l'urbanisation gagne sur la garrigue et les bois, des espèces animales ou végétales disparaissent chaque jour. Sans renoncer aux bienfaits de la modernité, nous avons tous un rôle à jouer dans la préservation de la nature et des espèces qu'elle nourrit. Dans chacun de nos gestes de citadin, même les plus anodins, ayons à l'esprit leur impact sur notre environnement. Et par des gestes simples et du bon sens, nous contribuerons à ralentir le processus pour, peut-être, un jour arriver à l'inverser. C'est aussi lors de nos promenades ou de nos randonnées que nous devons protéger ce qui nous comble de bonheur. Là aussi, par des gestes simples comme respecter les chemins et sentiers tracés, ne pas laisser de détritus sur place, voire ramasser ceux que vous trouverez dans cette magnifique nature qui nous entoure. Mais aussi ne pas prélever des essences dont nous ne connaissons pas le degré de protection et déranger le moins possible les animaux dans leur habitat naturel. Ce chapitre a pour objectif de vous présenter quelques espèces communes parmi celles que vous pourrez rencontrer lors des découvertes décrites dans cet ouvrage. La liste n'est pas exhaustive et complète le même chapitre du livre sur le pic Saint-Loup.

Le pin de Salzmann,
une espèce peu répandue en France,
présente dans les monts de Saint-Guilhem

Parapente

Mésange bleue

Ce petit passereau sympathique est un familier de nos jardins et garrigues. Cette mésange apprécie les feuillus et particulièrement les chênes. Ce n'est pas une espèce menacée, bien que très fragile, mais elle est protégée dans notre pays. Avec son plumage coloré et contrasté, c'est un oiseau vif mais facilement observable.

C'est au début du printemps que le couple cherche une cavité pour construire son nid. Le mâle nourrit sa compagne pendant les 14 jours de la couvaison. C'est ensuite à deux qu'ils s'occupent des petits.

Chardonneret élégant

Se nourrissant principalement de graines, il apprécie les haies et les vergers. Plus farouche que la mésange, c'est une espèce protégée qui reste fragile et dépend beaucoup de la qualité de son environnement.

Son plumage qui le qualifie d'élégant permet de le reconnaître facilement, de même que son chant délicat et mélodieux.

Les couples se forment au sein des groupes qui vivent ensemble pendant la saison froide. L'hiver, ils sont rejoints par leurs congénères du nord qui migrent sous nos climats. Le mâle et la femelle se caressent avec le bec et s'exposent l'un à l'autre leurs ailes et leur queue déployées. Il n'est pas rare que le mâle fasse des offrandes alimentaires à la femelle convoitée.

Mésange charbonnière

Elle vit dans les forêts mixtes, les feuillus, les bosquets les haies et les jardins. Si en hiver elle se nourrit de graines et de fruits, ses repas sont généralement constitués d'insectes, araignées et chenilles. Ces dernières sont d'ailleurs vitales en période de reproduction. De ce fait, elle est très appréciée des jardiniers qui favorisent son implantation dans les jardins car elles permettent de limiter l'usage des pesticides, mangeant aussi les vers de la pomme et les pucerons.

Un couple de mésanges charbonnières peut effectuer deux couvées de 5 à 12 œufs par an (avril-mai et juin-juillet). La femelle couve pendant 14 jours et les petits restent au nid entre 16 et 21 jours après l'éclosion.

Rouge-gorge

Il s'est très bien accommodé de sa relation avec l'homme et fréquente les parcs et jardins autant que les taillis et les bois. Ce qui nous permet de profiter de sa beauté et de son chant mélodieux. Il se nourrit sur des territoires riches en insectes, araignées et vers. Comme les autres oiseaux, il est fragilisé en hiver et n'hésite pas à se nourrir de graines. Pour lui aussi l'hiver est l'occasion de rencontrer l'âme sœur pour élever sa couvée de 5 à 6 œufs dès le printemps. La femelle couve environ 14 jours et les deux nourrissent les jeunes pendant 2 semaines.

Une à deux pontes supplémentaires peuvent survenir la même année et si les jeunes de la couvée précédente ne sont pas émancipés, c'est le mâle qqui s'occupe d'eux.

Héron cendré

Châtaigne

Plus loin dans l'ouvrage, la garrigue sera remplacée par de nouvelles végétations dès que vous aurez atteint les contreforts des Cévennes à partir de la vallée de la Vis.

La châtaigne est le fruit comestible du châtaignier qui a longtemps servi de base à l'alimentation humaine. Le châtaignier était appelé l'arbre à pain à cause de cela et même l'arbre à saucisse quand son fruit servait à l'alimentation des porcs.

La variété de marron est un fruit non cloisonné, utilisé pour sa taille et sa saveur. Il ne faut pas le confondre avec le marron d'Inde qui est une graine de marronnier, fréquente dans les villes, qui est toxique.

Les fruits sont protégés à l'intérieur d'une enveloppe hérissée de piquants que l'on nomme « bogue ».

La plupart des mas cévenols disposent d'une « clède », de l'occitan cleda *qui désigne une claie. Il faut noter qu'il s'agit là d'une métonymie abusive et que ce mot sert pour désigner le bâtiment utilisé pour sécher les châtaignes et dont le vrai nom occitan est « secadou ».*

Les châtaignes se consomment souvent grillées sous la cendre ou dans des poêles trouées. Elles peuvent aussi être grillées au four ou tout simplement bouillies. Mais d'autres utilisations existent, confites au sucre et cristallisées, ce sont les marrons glacés, cuites en confiture ou mises dans de l'alcool.

Moins connues, les châtaignes séchées puis moulues donnent une farine qui sert à faire du pain, des crêpes, des galettes et autres pâtisseries.

Fougère
Asperge
Pin Noir
Gland du chêne Kermès
Épicéa commun
Buis
Gland du chêne vert

La superficie de la commune est de 1526 ha avec une altitude variant de 119 à 940 m. Les 58 habitants sont les Andrébuégeois.

➤ *Reprendre la D1 pour remonter vers le village de Saint-André-de-Buèges.*

Saint-André-de-Buèges

Il s'agit d'un tout petit village dont le principal intérêt est son église, déjà mentionnée en l'an 804 dans le cartulaire de Gellone. L'église n'est malheureusement ouverte que durant les offices et quelques concerts. Ce sont les moines bénédictins de l'abbaye d'Aniane qui l'ont bâtie lors des actions d'évangélisation menées dans l'arrière-pays. L'ensemble est très bien conservé et même de nos jours on peut facilement distinguer la structure du prieuré. À l'époque, les bâtiments, placés en équerre autour de la cour, n'avaient qu'un seul accès, sous l'arche actuelle. Comme il était coutume dans ces temps médiévaux, le cimetière est demeuré accolé à l'église afin d'être proche et protégé par le lieu consacré.

L'architecture caractéristique de l'évêché de Maguelone, art roman de la fin du XIe siècle, reste visible ; les trois volumes de la nef, de la travée et du cœur, le soubassement saillant, les bandes lombardes et la corniche moulurée. On peut noter que le porche ouvre à l'ouest contrairement à la majorité de nos églises.

Constitué d'un arc à double ressaut orné d'un tore, il est sans chapiteau. Comme souvent, l'archivolte est mise en valeur par une frise de dents d'engrenage encadrée de deux arcs lombards. Vous remarquerez la petite croix gravée sur le seuil, rappelant la guerre des Camisards.

Quant au clocher-mur, il a été ajouté au XVIIᵉ siècle alors que la cloche a dû attendre la fin du siècle pour être posée et baptisée le 19 août 1791.

Un peu particulière parce que son plan est articulé autour d'un axe brisé, l'axe de la nef n'est pas celui de l'abside, l'église de Saint-André possède la particularité de restituer avec une richesse remarquable les sonorités vocales et instrumentales, ce qui explique que des concerts y sont organisés en été.

Le pont de Vareilles

Si vous poursuivez la route étroite qui traverse le village sur un peu plus d'un km, vous trouverez un panneau indiquant le pont de Vareilles sur la gauche. Datant du XVᵉ siècle, ce pont étroit mérite le coup d'œil, surtout si la Buèges est en eau.

En effet, en période de sécheresse elle a tendance à s'infiltrer en amont dans le sol calcaire et vous ne verrez alors que son lit caillouteux.

Y aller lorsque l'eau abonde vous garantit un bien beau spectacle. La récompense sera encore plus grande si vous décidez de suivre le cours du ruisseau vers Saint-Jean-de-Buèges, pour une balade rafraîchissante. Idéale en famille avec de nombreux coins pour pique-niquer et un passage à gué qui ravira les enfants. Vous pouvez ainsi aller jusqu'à Saint-Jean en flânant entre verdure et rivière aux eaux transparentes... sous la condition que le niveau de l'eau permette le passage à gué.

Pont de Vareilles

Saint-Étienne-d'Issensac

Le circuit continue par la D1 en direction de Brissac. À proximité de Notre-Dame-du-Suc, la D1 continue à droite et vous conduit, si vous le désirez, vers les berges de l'Hérault et l'église de Saint-Étienne d'Issensac. Datant du XIIe siècle et toujours d'architecture typique de l'art roman languedocien, elle était l'église paroissiale d'un petit bourg médiéval dont il ne reste que quelques ruines. Bien que située sur un axe emprunté par les pèlerins de Saint-Jacques-de-Compostelle, c'est encore la période sombre des guerres de religion qui a fait fuir les habitants après que les protestants ont incendié l'ensemble.

Il en reste un édifice sobre avec une nef à deux travées terminées par une abside semi-circulaire. Il n'y a plus d'office religieux, mais uniquement des concerts ou d'autres animations.

La proximité de l'Hérault avec ses possibilités de baignades et de pique-nique en fait un lieu très fréquenté en période estivale. Le pont sur l'Hérault, d'architecture gothique, est aussi remarquable. Construit certainement au XIVe siècle, son ancien nom est le pont de Saint-Estève. Il permettait de relier Saint-Jean-de-Buèges à Valflaunès et Saint-Guilhem à Ganges.

Les autres ponts permettant le passage sur l'Hérault étaient le pont du Diable et le vieux pont de Ganges que vous verrez un peu plus tard. Le pont de Saint-Étienne-d'Issensac, construit en dos-d'âne avec des pentes raides, mesure 60 m de long pour une largeur totale de 2,90 m. Il a été restauré d'abord au XVIIe siècle puis un siècle plus tard et de nouveau à plusieurs reprises au XXe siècle. Sa charge, limitée en 1952 à 3 tonnes, lui permet de laisser passer les véhicules légers.

L'église

Le pont

La superficie de la commune est de 4413 ha avec une altitude variant de 99 à 772 m. Les 442 habitants sont les Brissagols.

La légende de Notre-Dame-du-Suc

Elle raconte qu'à cet endroit un bouvier fut intrigué par une de ses bêtes agenouillée. Il creusa la terre sous un buis et en sortit une statuette de Marie portant l'enfant Jésus dans ses bras.

➤ *Revenez sur vos pas. Depuis la route vous apercevez sur la montagne une croix de la vierge au-dessus de quelques édifices. Le détour vous conduit vers le sanctuaire de Notre Dame du Suc.*

Brissac

C'est au XIIe siècle que la population cévenole a érigé une chapelle à la gloire de Notre Dame sur la montagne de la Séranne.

L'édifice actuel, restauré récemment, a été construit en 1860. La statue monumentale située en dessus a quant à elle été inaugurée en 1895, juste après la création du chemin de croix qui y conduit. La balade est intéressante par le champ que la vue embrasse de là-haut.

➤ *Reprendre ensuite la D108 jusqu'à Brissac.*

En arrivant sur le village, prendre à gauche la direction du village perché de Brissac-le-Haut afin d'aller de près admirer le château, mentionné en 1032, dont les premiers éléments, les tours, datent du XIe siècle. Les Roquefeuil, seigneurs de Brissac et propriétaires de cette époque, étaient vassaux du seigneur d'Agonès avant que la bâtisse ne devienne la propriété des évêques de Maguelone.

Plus tard, au XIIIe siècle, des travaux permettent de couronner le donjon, surélever les tours et construire le mur d'enceinte.

Ce n'est qu'au XVIIe siècle qu'il passe du statut de château à celui de demeure d'habitation. Restauré en 1965, c'est une propriété privée qui ne peut être visitée. Cependant, les abords accessibles facilement permettent de l'apprécier et de ce fait il fait partie du charme et du patrimoine architectural de Brissac avec les châteaux du Villarel et de la Vernède et l'église sacrée Saint-Nazaire. Riche également de vestiges préhistoriques et antiques, le village de Brissac, au pied de la Séranne, reste très attachant.

Redescendre vers le village bas et prendre à droite la D4 pour découvrir l'église. La montagne de la Séranne et ses nombreuses sources ont favorisé l'implantation des lieux de culte anciens. Il y avait vraisemblablement ici un temple païen.

Les églises ont ensuite souvent été bâties sur ces premières constructions, la preuve en est ici les colonnes de marbre antiques de part et d'autre de l'imposant portail. L'architecture est romane, nef unique voûtée terminée par une abside semi-circulaire et décorée par des bandes lombardes. Le clocher, détruit durant les guerres de religion, est le seul apport plus récent à la construction.

Notre-Dame-du-Suc

Château de Brissac

> *Reprendre la route par la D4 en direction de Ganges via Coupiac. À Coupiac se trouve l'abîme de Rabanel.*

C'est une cavité intéressante, surtout pour les spéléos. Plus loin, en bordure de route, une piste de karting pourra intéresser ceux qui logeront à proximité.

Pour continuer, deux solutions s'offrent à vous. La première est la D108E pour aller sur Saint-Bauzille-de-Putois via Agonès. Dans ce dernier village, la charmante petite église mérite votre attention. Ensuite, ce sera sur Saint-Bauzille-de-Putois une halte rafraîchissante au bord de l'Hérault, la visite de la grotte des Demoiselles et la possibilité de faire du canoë dans les gorges de l'Hérault qui, elles aussi, méritent votre visite. Poursuivez jusqu'au village de Laroque en empruntant la D986 qui vous conduira ensuite jusqu'à Ganges.

La légende

Depuis très longtemps, le massif du Thaurac, sur lequel se trouve la grotte, est le domaine des ovins et de leurs bergers.

L'un deux, à la recherche d'un agneau égaré se serait aventuré dans l'aven pour le récupérer. Dans le noir, il entendait la bête sans la voir et s'aventura plus loin encore, jusqu'à déboucher dans une immense cavité appelée aujourd'hui « la cathédrale ». Avec un éclairage limité il ne put éviter la glissade et la chute de 60 m entre stalactites et stalagmites.

Sonné par le choc, il aperçut, avant de s'évanouir, un groupe de jeunes demoiselles, dansant et chantant autour de lui. À son réveil, il était de retour en surface avec son agneau.

Lors de la visite, le guide ne manquera pas de vous conter cette légende et d'utiliser sa torche pour vous mettre dans la même situation… en restant toutefois en sécurité.

➤ *La seconde solution, si vous avez déjà visité la grotte des Demoiselles, est de continuer la D4 sur Cazilhac et Ganges. De là, par la D986, un crochet par Laroque est indispensable pour visiter ce village chargé d'histoire. Le massif du Thaurac est aussi très agréable dans ce secteur, mais c'est une autre histoire.*

La grotte des Demoiselles

Sur la commune de Saint-Bauzille-de-Putois, la grotte des Demoiselles s'affirme comme une véritable bibliothèque géologique avec sa collection de stalagmites et stalactites géants, ses coulées de calcite ou autres colonnes et draperies translucides.

L'accès avec un funiculaire souterrain contribue à la joie et au plaisir des enfants. Connue depuis des temps immémoriaux, c'est seulement en 1889 qu'Édouard-Alfred Martel, célèbre découvreur de nombreux sites dans la région, l'explora. Elle fut aménagée en 1931 pour permettre la visite aux non spécialistes. Elle s'appelait la grotte aux fées avant que la légende s'empare du site.

L'accueil du public est privilégié dans un aménagement dont l'intégration sur le site est particulièrement réussie.

Vous remarquerez un mur de protection dans la falaise, au-dessus de l'entrée, il s'agit de la grotte des Camisards, première protection de ceux qui avaient besoin de se cacher pendant les périodes troubles de notre histoire.

La grotte des Lauriers

La grotte est située sur la commune de Laroque, sur la falaise qui surplombe la route venant de Saint-Bauzille-de-Putois.

Elle a été découverte en 1930 grâce à une petite ouverture dans l'immensité du Thaurac, mais c'est seulement en 1946 que les hommes vont l'explorer. Ouverte au public de 1991 à 1997, c'est par un petit train au départ du village de Laroque que les visiteurs se rendaient sur place. De nos jours, elle est toujours fermée en attendant d'éventuels investissements pour mettre la voie d'accès aux normes et réaménager la grotte elle-même. Peut-être alors que les hommes d'aujourd'hui pourront visiter de nouveau cette cavité habitée dès l'époque magdalénienne et ainsi voir ou revoir les traces de son occupation par nos ancêtres il y a 15 000 ans, en admirant les bijoux spéléologiques créés au fil de temps plus anciens encore.

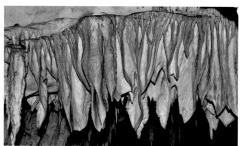

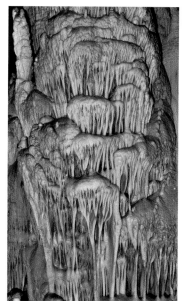

Grotte des Lauriers

Grandes orgues

La Vierge à l'enfant

La superficie de la commune est de 630 ha avec une altitude variant de 124 à 490 m. Les 1338 habitants sont les Laroquois.

Laroque

Ce site géographique était déjà occupé il y a plus de 15 000 ans, ce qui est compréhensible: il est situé en bordure de l'Hérault sur une voie de circulation très fréquentée. C'est sûrement le Moyen Âge qui l'a définitivement marqué comme le montrent les constructions du vieux village où l'art roman prédomine.

Là, avec une enceinte médiévale fermée par deux portes, vous verrez sur la partie haute du village, l'impressionnant château qui date du Xe siècle et son donjon de 27 m de haut, même si la plupart des éléments visibles sont plus récents (XIIe et XIIIe siècles). La cloche posée sur le donjon date de 1630. À côté, la chapelle castrale Saint-Jean Baptiste, de la fin du XIe siècle, fait donc partie des moyens de défense du château. C'est un petit édifice de 12 m sur 6 m, d'architecture romane bien entendu, avec une nef en berceau et une abside en cul-de-four à laquelle il ne manque pas la traditionnelle frise en dents d'engrenage.

Rapidement trop à l'étroit, les seigneurs de Laroque firent construire un nouveau bâtiment à la fin du XIIe siècle : l'église Sainte-Madeleine. Toujours d'architecture romane, sa proximité du fleuve lui valu de nombreuses inondations. Des travaux entrepris au XIXe siècle pour la sauver des eaux eurent pour conséquence de détruire les voûtes romanes et ainsi d'en modifier sa nature originale.

En bordure du fleuve, la bâtisse de l'ancienne filature de soie date du XIXe siècle avec ses 14 baies plein cintre, ses murs épais de 1,70 m, ses 3 000 m² utiles et ses 117 bassines en fonctionnement. C'est aujourd'hui un ensemble d'habitations.

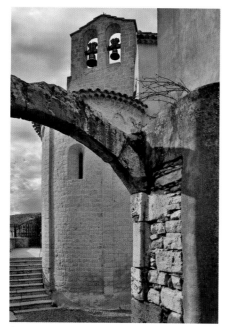

Église castrale

Église Sainte-Madeleine de Laroque

Village de Laroque

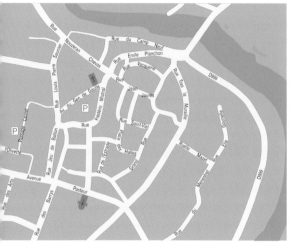

La superficie de la commune est de 716 ha avec une altitude variant de 138 à 740 m. Les 3502 habitants sont les Gangeois.

Ganges

Ganges a pris son véritable essor aux XVIe et XVIIe siècles, profitant d'une situation géographique privilégiée. Cependant, comme partout dans les Cévennes, c'est la culture du mûrier et l'élevage du ver à soie, dès 1709, qui lui permet de devenir une ville prospère spécialisée dans la soie de luxe. Elle était le siège des soyeux qui fabriquaient des bas si finement confectionnés que leur réputation était mondiale. L'arrivée du synthétique à la fin du XIXe siècle, puis la concurrence des pays émergents ont vu disparaître les magnaneries et les filatures. Ce sont maintenant les usines de marques célèbres qui ferment les unes après les autres.

Il ne reste plus, surtout dans les vallées de la région, que des grandes bâtisses ou de belles demeures, vestiges de ces temps de prospérité.

Le centre historique de Ganges est un dédale de ruelles appelées « traverses », constitué de passages voûtés, de jardins et cours en étage, véritable labyrinthe qui fait le charme de la ville.

L'église Saint-Pierre reconstruite en 1865, remplace celle qui fut détruite en 1560. Son constructeur a souhaité lui donner une allure romane avec une nef unique. L'orgue de l'église, cadeau de l'impératrice Eugénie, épouse de Napoléon III, date de 1869, mais il est resté en excellent état.

Près de la mairie, se trouve le temple protestant de forme heptagonale qui est l'un des plus importants de la région. C'est un édifice construit au milieu du XIXe siècle qui montre l'importance de ce culte dans les Cévennes. Bâti à l'emplacement de l'ancien couvent des Cordeliers, son clocher culmine à une hauteur de 30 m.

Le beffroi ou tour de l'Horloge

Le temple

L'église Saint-Pierre

Pour continuer la visite, revenir sur vos pas vers Cazilhac. Sur le pont neuf, vous aurez une vue sur l'ancien pont du XIIe siècle. Très beau pont roman, il reliait les deux côtés de l'Hérault en permettant l'accès vers la vallée de la Vis.

D'abord transformé en aqueduc au XVIIIe siècle, il est aujourd'hui piéton pour vous conduire jusqu'aux norias si vous désirez vous y rendre depuis le centre-ville. Les norias sont des roues à aubes appelées « Meuses ».

Après le pont, tournez à gauche et remontez vers Cazilhac et suivez les indications pour rendre visite au chemin des meuses. Ces roues à aubes ont permis un essor important de l'activité agricole, jusqu'alors victime des sécheresses à répétition. Avec seulement un canal de pierres qui relie la vallée à la montagne, les habitants de Cazilhac, grands maraîchers de la région, ont trouvé la solution à leur problème d'eau. Restaurées, les meuses doivent être vues, l'une d'elles, centenaire, a été classée en 1980.

Le circuit se poursuit par la vallée de la Vis, en suivant le panneau « Cirque de Navacelles » et la D25.

Le marché

Le vendredi matin se tient le marché de Ganges. Il est réputé sur toute la région, n'hésitez pas à y passer si vous êtes dans les environs le bon jour de la semaine.

Traverse

Façade

Pont Neuf

Le pont Vieux et les « Meuses »

Vallée de la Vis

La vallée de la Vis et ses merveilles vous mèneront vers le causse de Blandas. Vous passerez de la beauté de la garrigue méditerranéenne à celle tout aussi impressionnante des premiers paysages cévenols. À la frontière des départements de l'Hérault et du Gard, la route vous fera traverser des villages remarquables et grimper sur le causse de Blandas, haut lieu de la vie préhistorique.

Les gorges de la Vis

C'est la D25 qui borde d'abord l'Hérault jusqu'à la jonction avec la Vis. La température change, la fraîcheur se fait plus présente. Tout au long de la Vis, de petits endroits ombragés vous permettent une halte pour un repos mérité ou une petite collation, mais aussi et surtout pour goûter les plaisirs naturels que cette vallée luxuriante vous offre. Dès le départ, une aire sur la gauche se situe en face d'une fracture sur la Vis: l'eau tombe en cascade dans ce lieu souvent fréquenté par un héron! Mais c'est plus loin, à l'entrée de Saint-Laurent-le-Minier que le spectacle est le plus saisissant.

Saint-Laurent-le-Minier
Cascade sur la Vis
Porte de l'église

La superficie de la commune est de 1326 ha avec une altitude variant de 154 à 849 m. Les 362 habitants sont les Laureniers.

Saint-Laurent-le-Minier

Le village ne manque pas d'eau avec la Vis toute proche et deux ruisseaux, la Crenz et son affluent le Naduel, qui passent dans le village. La population ne s'y est pas trompée en bâtissant neuf ponts pour passer d'une rive à l'autre. Positionné à la frontière de deux départements, le Gard et l'Hérault, Saint-Laurent-le-Minier a longtemps vécu de l'agriculture et, jusqu'à ces dernières années (1991), de l'industrie minière – avec la Mine des Malines qui exploitait la blende et la galène afin d'en tirer le zinc et le plomb. L'exploitation des métaux se faisait déjà à l'âge du bronze puis ensuite par les Barbares et les Romains au début de notre ère.

Pour entrer dans le village, vous prendrez un pont de pierre datant des XVe et XVIe siècles donnant à gauche une vue magnifique sur la cascade sur la Vis (site classé) et à droite sur le château (classé aussi), du XVIIe siècle.

La Vis et le château de Saint-Laurent-le-Minier

Gorniés

Séparés par la Séranne, les villages de la vallée de la Buèges et de la vallée de la Vis communiquaient par un chemin venant de Notre-Dame-du-Suc.
Un évêque de Montpellier a imaginé un pont sur la Vis pour joindre les deux rives. Ce vieux pont médiéval fait l'objet de la balade décrite plus loin. Outre ce pont, l'église Sainte-Marie-de-Gorniés (XIe siècle), située quelques centaines de mètres avant le village, sur la gauche, mérite le détour. Son architecture simple, voisine de celle des églises de la Buèges, ne possède qu'une courte travée de cœur. Jadis, un chemin de muletier, passant par la Séranne et Les Euzes*, la reliait à Saint-Jean et Saint-André-de-Buèges.

La superficie de la commune est de 2931 ha avec une altitude variant de 176 à 940 m. Les 121 habitants sont les Gornésiens.

Nota

La carrière des Euzes produit une pierre calcaire longtemps exploitée pour être utilisée pour un procédé d'impression à plat connu sous le nom de « Lithographie ».

Vallée de la Vis et l'église Notre-Dame de Gorniés

Pont de Gorniés

Petite balade familiale (2 km)

À l'entrée de Gorniés, garez-vous sur le parking de gauche en entrant dans le village. Revenez sur vos pas pour traverser le pont et prendre un chemin sur la droite pour suivre le panneau indiquant le vieux pont roman (XIIIe siècle).

Le sentier longe de grandes falaises avant de plonger vers le lit de la rivière. Attention, le chemin s'écarte ensuite de la Vis pour passer sur les pierres d'un ruisseau que vous prendrez par la gauche. Continuez le chemin qui surplombe la Vis que la végétation vous empêche de voir.

En continuant, vous arrivez sur une partie goudronnée indiquant que le pont médiéval est là, tout proche. Le cadre est magnifique, surtout si le niveau de la Vis est haut, le pont vous permettant de passer sur l'autre rive au niveau d'une belle propriété.

C'est sur un point où le lit de la rivière est resserré que le pont a été construit. Vous remarquerez les puissants becs qui protègent les piles du pont du choc de l'eau. Il remplace avantageusement les câbles tendus entre les deux berges qui étaient, avant sa construction, la seule possibilité pour les pèlerins de franchir la Vis.

Continuez sur cette petite route qui vous conduit sur la D25 qu'il faudra suivre pour retourner vers le village. Au passage, sur la gauche vous pourrez voir un temple du XVIIe siècle.

➤ *La poursuite de votre itinéraire par la D25 marque le changement de végétation avec la présence de sapins et de fougères. C'est aussi le passage du département de l'Hérault à celui du Gard.*

Madières

Le village de Madières est lui-même coupé en deux. En venant de Gorniés, vous êtes dans le Gard et le village est rattaché à Rogues. Passé le pont dans le village vous êtes de nouveau dans l'Hérault et cette partie est rattachée à Saint-Maurice-de-Navacelles que l'on peut atteindre en continuant la route. Celle-ci était déjà fréquentée du temps des Romains comme voie secondaire reliant Le Vigan à Lodève. Plus tard, la Vis était ici la frontière entre le royaume des Francs et celui des Wisigoths. Le village est donc ancien, avec des premières nominations au IXe siècle. Au XIIe siècle, c'est un des accès vers le Lodévois.

Le village est fortifié et un château, construit en hauteur, contrôle cette voie vers le Larzac. Il est détruit en 1217. Au XIVe siècle, un nouveau château est construit sur le côté gardois, c'est aujourd'hui un hôtel-restaurant.

Le village de Madières est attachant, avec ses maisons étagées des deux côtés, au-dessus de la Vis. Quelques balades permettent de profiter des frondaisons rafraîchissantes l'été, mais assez humides l'hiver. Pour la baignade, il en est de même, l'eau est rarement au-dessus de 18°. Par contre, elle est d'une pureté rarement observée ailleurs.

➤ *Pour la poursuite de votre périple, c'est à droite dès l'entrée dans Madières que vous devez prendre la D48 pour atteindre le causse de Blandas.*

La superficie de la commune est de 1028 ha avec une altitude variant de 290 à 470 m. Les 184 habitants sont les Madiérans.

Château de Madières

Le causse de Blandas

La route grimpe au milieu de cultures en terrasses pour exploiter le maximum d'espace. Règnent ici en maître les oliviers.

Au départ, elle offre à plusieurs endroits une vue panoramique qui surplombe la vallée et le village de Madières.

L'arrivée sur le causse vous surprendra par le changement des paysages. Là, cette étendue calcaire façonnée par l'érosion, regorge d'avens, de chaos dolomitiques ruiniformes et de vestiges mégalithiques. C'est aussi le domaine du pastoralisme et vous pouvez y trouver des chevaux blancs de Camargue, des ânes et même des lamas, mais aussi des troupeaux en semi-liberté (ovins et bovins). Ne vous laissez pas surprendre par l'aspect désolé du causse, un œil averti ne manquera pas de voir une faune (reptiles, rongeurs, rapaces…) et une flore (chênes blancs, asphodèles, orchidées ou autres chèvrefeuille…) riches et variées.

Le premier petit village traversé est Rogues qui possède un château, propriété privée, qui ne se laisse bien voir que quand les feuilles des arbres de haute futaie se sont laissées prendre par les vents tourbillonnants.

Le village de Rogues

Des hommes du passé

La vie préhistorique dans ce milieu caussenard fut suffisamment riche pour nous laisser de nombreux vestiges. Trop nombreux pour vous être tous présentés ici, nous évoquerons seulement les plus significatifs et les plus accessibles.

Même si le manque de trace très ancienne laisse penser que cette partie du causse n'était pas habitée de manière assidue aux temps les plus reculés de la préhistoire, la présence de l'homme est prouvée à partir du paléolithique supérieur, soit 30 000 avant notre ère. C'est ainsi vrai pour la grotte du Cengle de l'Elze située au sud ouest du plateau et dominant les gorges de la Vis.

C'est Adrienne Durand-Tullou qui y découvrit en 1939 des ossements d'ours des cavernes dont l'espèce a disparu il y a 25 000 ans. D'autres pionniers de la préhistoire ont séjourné ici, Ulysse Dumas, Paul Cazalis de Fondouce ou Félix Mazauric, mais c'est elle qui a cherché, enregistré, répertorié, vérifié et étudié la moindre trace permettant de mieux connaître l'état des lieux archéologiques du causse de Blandas. La période glaciaire qui a suivi a modifié radicalement le contexte écologique, obligeant les populations à descendre dans les vallées et à s'installer dans les plaines du littoral.

Menhir, dolmen et cromlech

Sur la D48, le village de Rogues se trouve à droite et sur la gauche une route, la D158, file sur Blandas. Prenez là sur quelques centaines de mètres. Près d'une intersection de voies antiques, se tient, en bordure de route et à droite, le menhir de la Trivalle d'une hauteur de 1,70 m. C'est un palet de Gargantua.

Menhir de la Trivalle

Adrienne Durand-Tullou

Née en 1914 à Tournon-sur-Rhône (Ardèche), c'est en tant qu'institutrice qu'Adrienne Duran-Tullou est arrivée à Rogues le 3 janvier 1938, fonction qu'elle exerça jusqu'en septembre 1970.

Devenue amoureuse de son causse d'adoption, elle s'y installe et épouse un caussenard de souche, Honoré Durand.

Dès son arrivée, elle décide de poursuivre les travaux de Félix Mazauric et prospecte les grottes et les monuments mégalithiques qui parsèment le causse. Elle y côtoie un autre spécialiste à qui nous devons la connaissance du milieu souterrain, Robert de Joly, de la société spéléologique Française qui explorait les grottes et avens du causse.

Plus tard, elle concentre ses travaux sur l'observation du comportement individuel, familial et social de ses contemporains.

Au travers de nombreux livres, elle nous dresse un portrait de la vie sur ces causses qui lui sont chers, mais aussi, de façon plus large, sur les Cévennes. C'est par son autobiographie « Le pays des asphodèles » qu'elle obtint la consécration en 1989, bien que récompensée, dès 1977, par la grande médaille du Club Cévenol. Elle est aussi membre non-résident de l'Académie de Nîmes et présidente honoraire de l'association Arts et Traditions Rurales. Adrienne Duran-Tullou nous a quittés le 5 février 2000 en laissant une œuvre considérable, fruit d'années de passion et de travail.

Les menhirs ou pierres dressées

Ils sont constitués d'un bloc unique de pierre, planté verticalement, maintenu en terre dans une fosse et calé par des pierres. Quelquefois, le menhir est sculpté (statue menhir). Les menhirs se trouvent soit isolés, soit alignés (alignements), soit disposés en cercle (cromlechs). Ils sont le plus souvent répartis au bord des voies de communication. Ils peuvent aussi être dressés à proximité des habitations et, dans ce cas, il n'est pas rare de trouver du mobilier du Néolithique final (3250-2400 av. J.-C.) et de l'Âge du cuivre (2400-1800 ans av. J.- C.). Certainement voués à un rôle signalétique, il ne faut pas écarter l'hypothèse ethnologique qui leur donne un caractère magique ou divin. La tradition populaire, lui accorde souvent des pouvoirs de guérison et surtout de faire disparaître la stérilité.

Dolmen du Planas, intérieur et extérieur

Âges préhistoriques

Holocène Deuxième époque du quaternaire	Le Tène	**Âge du fer**	**P r o t o h i s t o i r e**	
	Hallstatt			
	Bronze final	**Âge du bronze**		
	Bronze moyen			
	Bronze ancien			
	Chalcolithique			
	Néolithique			**P r é h i s t o i r e**
	Mésolithique / Epipal			
Pléistocène Première époque du quaternaire	Supérieur	**P a l é o l i t h i q u e**	**Âge de la pierre**	
	Moyen			
	Inférieur			

➤ *Revenir sur vos pas pour reprendre la D48 jusqu'à Montdardier et son château. Avant le village, prendre à gauche la D113 en direction de Blandas et garez-vous à l'intersection avec la D513. Vous pourrez voir tout proche le dolmen du Planas, restauré en 1973. C'est un dolmen à couloir dont la dalle de toit mesure 2,70 m sur 2 m. Des ossements humains, des perles plates en os et des morceaux de poteries trouvés là sont visibles au musée Cévenol du Vigan. D'autres mégalithes se trouvent à proximité.*

En continuant à pied sur quelques centaines de mètres la D113, vous verrez le cromlech n° 2 de Peyrarines composé de 35 blocs entiers et de nombreux fragments. Les blocs, dont le plus haut mesure 1,90 m, ont été redressés au cours de l'été 1972. Revenez à votre véhicule et prenez la direction du Landre par la D513. Au sommet d'une butte, vous trouverez un menhir fortement penché, mais il est dans un champ clos. C'est un bloc de dolomie, haut de 2,65 m, large de 0,98 m et d'une épaisseur de seulement 0,28 m.

En continuant, avant le hameau, prendre à gauche à la croix en fer. Plus loin vous atteindrez le menhir des Combes (3 m x 0,80 m x 0,38 m), visible sur la gauche et ensuite à 200 m, celui d'Avernat (3,60 m x 1 m x 0,64 m), visible sur la droite. Ils sont faciles à voir car situés en bordure de route.

Continuez votre recherche de mégalithes en prenant la D158, à gauche, en direction de Blandas. Si votre vue est aiguisée, après une grande courbe à gauche vous apercevrez le cromlech de Lacam de la Rigalderie, 500 m en contrebas, sous la ligne EDF.

En poursuivant quelques centaines de mètres, prendre à droite la D843 et descendre à proximité du vestige. Le champ qui s'intercale est clos, mais le propriétaire l'a gentiment doté de deux portails que vous ne manquerez pas de refermer derrière vous. La butte

est dite « des Mercoulines » et se situe entre deux antiques chemins. Le cromlech est constitué de 22 blocs entiers et de plusieurs fragments. Le diamètre est de 106 m environ avec une hauteur maximale des blocs de 1,55 m.

On ne peut passer sur le causse de Blandas sans évoquer le village de Montdardier, protégé par un magnifique château édifié en 1878 selon les plans de Violet le Duc. Le lieu était une voie d'importance du temps des Romains puis au Moyen Âge pour relier les Causses et les Cévennes. Il y avait donc à cet endroit une ancienne forteresse, plusieurs fois démolie et reconstruite, qui en commandait le passage. Ce qui rend le caractère remarquable de l'édifice c'est son style, unique dans la région, qui a été voulu par son propriétaire, le comte Fernand de Ginestous. Fortement abîmé lors des guerres de religion, le château fut reconstruit pour être à nouveau détruit lors de la Révolution, et restauré une fois encore ensuite.

La forêt sur le versant est montre un contraste total avec le paysage du causse à l'ouest et offre de nombreuses possibilités de balades et d'aires de repos ombragées, en particulier sur la route qui descend vers Saint-Laurent-le-Minier.

Pour continuer vos découvertes, il faut aller voir le petit village de Vissec, blotti au fond du cirque du même nom, ce qui est possible en continuant par la D813. Comme son nom l'indique, le village est construit dans une zone en lit sec au fond du cirque. En effet, la rivière, la Vis, disparaît à la sortie d'Alzon, en amont, pour ressortir plus bas. Les

Un dolmen, c'est quoi ?

C'est une chambre sépulturale ouverte, très souvent mégalithique, recouverte d'un tumulus (ou cairn), destinée à recevoir des inhumations. (Jean Arnal).

Il en existe de toutes sortes qui ont une fonction funéraire collective. Ils sont la preuve que nos ancêtres avaient une vie sociale organisée, avec des chefs, des rituels et des dieux.

Dans leur très grande majorité, les dolmens ont été pillés au fil des siècles, ce qui explique en partie l'état de délabrement et le fait que, souvent, peu d'objets aient été retrouvés sur les lieux.

Alors qu'en Bretagne les dolmens sont bien conservés car en granit, ceux de nos régions sont en dalles calcaires. Ils sont plus petits car ce matériau ne permet pas de travailler de grandes pièces, plus abîmés car plus sensibles à l'érosion et moins complets car les pierres ont souvent été récupérées pour être utilisées par les habitants, en particulier dans les fours à chaux. Et pourtant, par le nombre, le Languedoc est une région encore plus riche en mégalithes que la Bretagne !

Le cairn, souvent circulaire, a pour vocation de participer à l'étanchéité de l'ouvrage, à son blocage et à sa signalisation. On y entre par une porte située au sud ouest, on emprunte un couloir, deux dalles verticales indiquent l'entrée dans l'antichambre et deux autres marquent l'accès à la chambre sépulturale.

Cromlech n°2 de Peyrarines

habitants, les Vissécois ou Vissecols, ne voient son eau que lorsque des pluies tombent en abondance.

Le village semble d'un autre monde. Hors saison touristique, il paraît déserté. Cet aspect est accentué par le type de constructions en pierre, utilisant, à chaque fois que possible, le rocher existant.

Revenir sur Blandas pour prendre la direction du Cirque de Navacelles par la D130E qui continue quelques centaines de mètres sur le plateau du causse avant de plonger vers Navacelles. Avant la descente, sur la droite, un parking permet de profiter d'un magnifique point de vue et d'admirer le spectacle que nous offre la Vis dans son parcours ancestral.

Menhir du Landre

Menhir des Combes

Cromlech de Lacam de la Rigalderie

Menhir d'Avernat

Château de Montdardier

Vissec

Le cirque de Navacelles

Ici, cette petite rivière de 30 km, affluent de l'Hérault, a creusé son lit dans l'impressionnant plateau calcaire des causses, aidée en cela par les pluies et la perméabilité de la roche. C'est donc un véritable canyon (profond ici de 300 m – le plus imposant d'Europe) que le spectateur découvre. Il découvre aussi la forme spécifique du lieu avec sa petite colline centrale, montrant qu'il y quelques 6 000 ans, la rivière faisait un méandre.

Le village, bâti dans le fond de la cuvette, y cache ses profondes racines et utilise les cultures en terrasse qui profitent de la proximité de l'eau.

De la situation élevée d'où vous êtes, c'est l'ensemble de la géographie du lieu que vous pouvez voir, de l'implantation du village au parcours de la Vis et de sa cascade. Profitez bien du spectacle, c'est vraiment de là que le site prend toute sa dimension, en beauté et en grandeur.

Cirque de Navacelles

Moulins et résurgence de la Vis

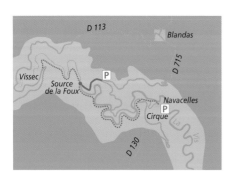

La résurgence de la Foux, la Vis et les moulins

Descendez maintenant la D130E vers Navacelles sur 3 km et, dans un virage en épingle gauche, vous verrez un petit espace pour stationner, équipé d'un panneau d'information. C'est le départ du sentier qui mène aux Moulins de la Foux. Le sentier, aménagé par l'ONF, descend au milieu des cèdres et des arbousiers en offrant une jolie vue sur la vallée. Il traverse un pierrier pour lequel vous devrez particulièrement surveiller les enfants. L'agréable descente vous conduit directement à la résurgence et aux moulins. C'est bien avant d'arriver que la vigueur des flots se fait entendre, apportant au marcheur la certitude qu'il est sur la bonne voie.

Après avoir bien profité des lieux, deux variantes existent: poursuivre pour rejoindre le village de Vissec, en amont, pour compléter la balade (balisage jaune); ou revenir vers Navacelles en suivant la Vis. Ces deux variantes du parcours sont plus longues et bien que très intéressantes sur le plan de la découverte naturelle, il est recommandé de retourner sur ses pas lors d'une promenade en famille.

La Vis prend sa source sur le mont Saint-Guiral avant de disparaître dans le sol calcaire d'une roche très imperméable. À cet instant, son débit est d'environ 50 litres par seconde. Lorsqu'elle atteint la résurgence, son débit est de 1200 à 2500 litres par seconde, ce qui s'explique par le raccordement de nombreux affluents, en particulier la Virenque. Il peut arriver à la Vis de ne plus couler, mais ce ne sera que quelque temps: il s'agit certainement d'un éboulement souterrain que les eaux ne tarderont pas à contourner.

Les moulins de la Vis étaient en piteux état à la fin du siècle dernier et pouvaient disparaître à la suite d'une crue de la rivière plus forte que les autres. La commune de Vissec lance alors un projet de réhabilitation du site avec l'aide des Conseils Généraux du Gard et de l'Hérault et du ministère de l'Environnement. La première tranche de travaux débute en 1997. Une seconde phase est mise en place pour permettre aux visiteurs d'apprécier les sentiers pour venir jusqu'au site. Il serait trop long de rappeler ici tous les organismes qui ont participé au financement de cette mise en valeur. Ils figurent sur les panneaux explicatifs que le visiteur trouvera sur place avec des informations complètes sur la Vis, la vie dans la région, les types de moulins existants et leurs mécanismes, l'histoire des hommes qui occupaient ce territoire depuis la nuit des temps, jusqu'à la dernière famille qui vivait sur place autour du meunier.

Habitation du meunier et anciennes meules

➤ *Après avoir récupéré votre véhicule, descendez vers le village de Navacelles. Les places de stationnement ne manquent pas, mais, l'été, le succès du site rend l'accès au parking plus compliqué pour ceux qui y viennent tard.*

Navacelles

De quelques âmes l'hiver, classé au patrimoine mondial de l'UNESCO, ce village est au bord d'une petite colline. Il comporte une partie basse à droite de l'accès principal et une partie plus en hauteur à gauche, que l'on traverse aussi lors de la descente et où se trouve une petite église. La visite du village, , peut commencer en démarrant par la partie droite. Un restaurant, un magasin de souvenirs, glaces et boissons et un coin pique-nique côtoient quelques maisons typiques des Cévennes où la pierre reste reine. Dans le cimetière, vous verrez les ruines d'une muraille légèrement arrondie que les spécialistes s'accordent à décrire comme le vestige de l'église Sainte-Marie des Chartes, datant de la fondation du village.

En revenant sur la Vis, un petit belvédère surplombant la cascade de quelques mètres permet d'apercevoir un sympathique paysage et les quelques courageux qui osent affronter la fraîcheur des ondes.

Continuez vers l'église pour visiter la partie haute du village, visite rapide, Navacelles n'est pas très étendu. À droite de l'église, descendez vers la Vis et vous découvrirez un pont estimé du XIIᵉ siècle selon son architecture en dos-d'âne. Il enjambe la rivière pour relier au village les maisons construites là, à flanc de colline.

Passé le pont, vous suivez le chemin à droite qui offre une vue plongeante sur la Vis dont le doux murmure contraste avec le fracas de la cascade que vous atteindrez peu après. Là, descendez par les rochers en marches d'escalier pour approcher et admirer le travail de l'eau de la cascade dans laquelle les plus téméraires n'hésitent pas de plonger malgré l'interdiction.

Depuis votre passage dans les Causses, vous savez que la présence de l'homme est attestée dans cette région depuis la préhistoire. Les traces d'ouvertures voûtées à encorbellement dans le vieux village et la mise en valeur des terres par les cultures en terrasses que l'on trouve ici avec la présence de l'olivier et de la vigne, montrent de même que l'évangélisation du territoire est passée par ce lieu mythique. Le nom même de Navacelles serait à l'origine *Nova Cella* (nouveau lieu de culte). Lorsque vous avez parcouru l'histoire de Saint-Guilhem, vous avez appris l'importance de la ferveur des pèlerins et des croyants qui n'hésitaient pas à faire des dons à l'Abbaye de Gellone, surtout dans la période des XIe et XIIe siècles, pendant lesquels la ferveur chrétienne était des plus ardentes. Ce n'étaient pas les serfs, trop pauvres, qui donnaient, mais de riches seigneurs et propriétaires. Ceux qui possédaient des biens du côté de Navacelles ont fait de même et, rapidement, Nova Cella devint propriété du monastère de Gellone, liant de manière très forte ces deux lieux.

➤ *La suite du parcours vous demande d'utiliser la D130 pour remonter sur l'autre versant en direction de Saint-Maurice-de-Navacelles. Vous atteindrez le causse du Larzac et pourrez jeter un dernier coup d'œil au Cirque depuis le point de vue de la Baume-Auriol.*

La superficie de la commune est de 6860 ha avec une altitude variant de 219 à 800 m. Les 142 habitants sont les Saint Mauriciens.

> *Quittez la Baume-Auriol en suivant la D130 jusqu'au hameau de la Prunarède. Un Dolmen classé se trouve à proximité.*

Saint-Maurice-de-Navacelles

Poursuivez ensuite jusqu'au village de Saint-Maurice où résidait sur la fin de sa vie le sculpteur Paul Dardé. Sur le territoire de la commune se trouve l'une de ses œuvres inachevée ; « L'homme de Cro-Magnon ». Il est aussi l'auteur de plusieurs monuments aux morts dont celui du village. Le secteur de Coste Caouda, site de la carrière qui lui fournissait la matière première de ses œuvres, est également riche en mégalithes avec 3 dolmens dont l'un est en excellent état. Le village possède une petite église enchâssée dans d'autres bâtisses avec, tout à côté, un château privé.

L'ensemble du causse, paradis des écologistes et des randonneurs, est très riche en vestiges préhistoriques. L'homme semble y avoir été présent depuis le Mésolithique, et plus sûrement depuis le Néolithique. Des traces de fonds de cabanes, de grottes habitats et le matériel trouvé autour prouvent que le territoire est assez peuplé à l'âge de pierre. À la fin de cet âge, la transhumance était déjà pratiquée et au Chalcolithique (âge du cuivre), c'est une véritable civilisation mégalithique qui est installée sur ce plateau. De nombreux menhirs et dolmens ruinés existent et quelques-uns restaurés sont visibles aisément.

Plus tard, 500 ans avant J.-C., les Romains tracent et construisent leurs « camins ferrats », ces voies romaines qui ont tant fait pour le développement économique

des hauts cantons. On peut aussi voir les vestiges de constructions gallo-romaines : la ferme de Barre et son aire à battre le grain ou la villa gallo-romaine du côté de La Trivalle. Puis, ce sont les barbares et en particuliers les Wisigoths – dont une tombe de guerriers porteurs d'ornements a été trouvée sur le chemin de Saint-Maurice aux Besses et aux Coucelles – avant leur unification avec les Francs.

Sur le chemin du retour, le village de La Vacquerie mérite une halte, l'église Notre-Dame (XIIIe siècle) et l'église de Saint-Martin-de-Castries (XIe et XIIe siècles) dont on retrouve la trace en 807, la Maison du Bailly, le moulin des Brésiliers et peut-être même serez-vous tentés par une balade avec des ânes.

Plus loin, vers La Trivalle, le site de Cantercel mérite d'être cité, c'est un centre d'architecture expérimentale unique en France.

Emplacement du Cirque de Navacelles vu depuis le Causse du Larzac

Causse du Larzac : Villages, dolmens et menhirs

Pour aller de Saint-Maurice à La Trivalle, il y a deux routes, la D25 et la D130. C'est donc une boucle que vous pouvez prendre dans le sens qui vous convient le mieux.

Pour voir les menhirs de la plaine du Coulet, depuis Saint-Maurice, prendre la D130 en direction du Coulet, passez le hameau et surveillez les champs. Plusieurs menhirs sont visibles de la route, dont 3 relativement groupés. Continuez en direction de la Trivalle et vous trouverez sur la droite, à 10 m de la route, le très beau dolmen restauré de Ferrussac. Au carrefour de La Trivalle, revenez sur Saint-Maurice via La Vacquerie, par la D25. Surveillez à gauche la D152e1 qui conduit à La Vernède. Environ 1,5 km après le carrefour avec la D25, vous remarquerez un endroit où un véhicule peut stationner. À gauche une clôture et un portail que vous pouvez franchir en pensant à le refermer. Sur l'amorce du chemin, deux panneaux sont plantés. L'un indique une statue (menhir) à gauche et l'autre le dolmen en allant tout droit. Le menhir est à quelques mètres, le dolmen est plus loin. Après 300 m environ sur le chemin, surveillez votre gauche. Vous verrez le dolmen de Costa Caouda à moins de 100 m sur un petit monticule. Approchez-vous, il est en excellent état et vaut bien ce détour.

Il est intéressant de faire le parcours par le hameau du Coulet car la route qui y mène offre une belle vue sur le plateau du Larzac, sur le canyon de la Vis et sur les Cévennes (page précédente).

Dolmen de Costa Caouda

Revenez sur vos pas pour continuer l'itinéraire vers le mont Saint-Baudille que vous atteindrez par une petite route à gauche après La Trivalle. Le Mont accueille une station relais de télévision et offre aux randonneurs de nombreux chemins balisés ainsi qu'une vue imprenable depuis sa table d'orientation, selon la luminosité et la transparence de l'atmosphère.

La fin du parcours approche et il faut descendre dans la vallée à partir du col du vent (703 m d'altitude) qui offre à son tour une vue imprenable sur les plaines du littoral. Profitez-en pour contempler le changement de végétation au fil de la descente en lacets. Arrivés dans la plaine, vous traverserez deux « village rue » : Arboras qui mérite une halte pour sa petite église et son château, puis Montpeyroux, bourg plus grand, riche de son passé dont le Castellas est à l'origine.

Dolmen de Ferrussac
Menhirs de la plaine du Coulet

La superficie de la commune est de 2 242 ha avec une altitude variant de 66 à 840 m. Les 1 084 habitants sont les Montpeyroussiens.

Montpeyroux et son Castellas

L'endroit est habité depuis fort longtemps, comme en témoigne la présence de dolmens et de menhirs. Une fois le pont du Diable construit, Montpeyroux se développe rapidement, en partie grâce à sa position privilégiée sur la route qui mène de la plaine au Larzac (la Draille de Bezals).

Le village, tout en longueur, ne possède pas de fortification propre. Le *Castellas*, édifié en 1070 par Bernard de Montepetroso, un descendant de saint Guilhem, témoigne d'une architecture médiévale qui consiste à défendre une cité par un château implanté en hauteur. Vous le verrez sur la gauche au sommet d'un mont pierreux (Mont *Pierros* en occitan qui a donné le nom au village), le « Rocher des Vierges », au-dessus du quartier du Barry.

Bien placé au niveau des voies de communication utilisées par les pèlerins de Saint-Jacques-de-Compostelle, par les troupeaux en transhumance ou autres caravanes de la route du sel, les comtes de Montpeyroux s'enrichissent par le droit de passage justifié par le maintien de la sécurité. En haut de la rue du quartier du Barry, se trouve une bâtisse avec une pompe à eau sur le devant. C'est l'ancien puits auprès duquel les habitants venaient chercher leur eau, contre monnaie sonnante et trébuchante, dont une partie revenait au seigneur des lieux. Le château est en partie détruit par les Anglais lors de la guerre de Cent Ans en 1384, c'est plus tard, au XVe siècle, que sa fonction défensive est abandonnée. Plus personne n'habite les lieux. Le château n'a jamais été restauré (*Castellas* signifie château délabré en occitan). Même si l'enceinte est en grande partie debout, la dégradation des murs et des bâtis intérieurs ont conduit la municipalité à en fermer l'accès. En attendant une hypothétique restauration, on ne peut en faire que le tour, ce qui reste intéressant pour en deviner les dimensions, se promener dans la garrigue et avoir une vue de haut sur le village. Il est bâtiment protégé depuis 1943.

Dans le centre village, quelques maisons des XVIIe et XVIIIe siècles sont remarquables, certaines sont classées, avec notamment des escaliers d'époque et des génoises sur le toit. Appartenant à des particuliers, les visites sont en principe possibles, bien que délicates à organiser. Le jeudi matin, le village s'anime autour de son marché, place de l'Horloge. À voir également la chapelle Saint-Étienne du XVIe siècle.

Sur le plan économique, la viticulture et l'oléiculture ont perduré malgré la crise de 1870 pour la première et celle de 1956 pour la seconde. Il n'en a pas été de même de la production de vert-de-gris, aux XVIIe et XVIIIe siècles, qui était utilisé comme pigment pour les teintures à la belle époque de l'industrie textile ou pour le calfeutrage des navires.

C'est en traversant le vignoble réputé « Terrasses du Larzac » que le retour vers Montpellier, via Gignac, termine cet ouvrage qui vous aura apporté peut-être un peu de connaissances et, je l'espère, beaucoup de plaisirs à le vivre.

Castellas dans le paysage

Table des matières

Bibliographie

La Buèges – Chronique d'une vallée – H. Aragon, M.R. Aragon, J. Azéma, M.-L. Roman, Foyer Rural, Cahors, 1997.
Églises romanes oubliées du Bas Languedoc – P.-A. Clément, Presses du Languedoc, Aubenas, réédition 1993.
Trésors retrouvés de la Garrigue de Hubert Delobette et Alice Dorques, Le Papillon Rouge.

Remerciements

Toutes les photographies publiées dans ce livre ont été réalisées par l'auteur. Les explications et textes qui les accompagnent sont issus d'une recherche personnelle, d'informations communiquées par les Offices de Tourisme et du travail de quelques passionnés. Que tous en soient remerciés :

Mesdames et Messieurs les Maires des Communes traversées ainsi que le personnel des Offices de Tourisme;
Madame Nicole Dubois, Présidente de la grotte de Clamouse, Monsieur Guilhem de Grully, Président de la grotte des Demoiselles, Monsieur Patrick Martin propriétaire de la grotte des Lauriers et Monsieur Jacques Rouquier qui a été mon guide dans cette grotte, pour leurs autorisations à publier les photos des sites;
Madame Laure Gigou pour son autorisation à utiliser ses écrits sur Notre Dame de Grâce de Gignac;
Madame Villa pour son autorisation à photographier les cuves de l'ancienne tannerie;
Madame Sylvie L'Hostis pour ses écrits et sa parfaite connaissance de notre région;
Monsieur Daniel Caumont, spéléologue, auteur, et webmaster de plusieurs sites – dont www.st-guilhem-le-desert.com – pour sa documentation et son autorisation d'en utiliser des éléments;
Les agriculteurs et vignerons, propriétaires des bois, des oliveraies et des vignes pour leurs autorisations à circuler et photographier librement;
Messieurs Pierre et Roch Viala du domaine de l'Olivie à Combaillaux pour l'autorisation de photographier le moulin à huile du musée de l'olive;
Mon épouse Christine et mes enfants pour l'aide apportée dans la réalisation de l'ouvrage.

Les éditions Alcide publient cet ouvrage à la mémoire de Christian Lhuisset. Éditeur, historien passionné de patrimoine, il a marqué de son empreinte ce livre dont il avait élaboré la construction. Tout comme notre maison d'édition, l'auteur et le maquettiste tenaient à lui exprimer leur reconnaissance.

Cet ouvrage n'aurait jamais existé sans la confiance que m'a accordée Christian Lhuisset pour publier mon premier livre sur le pic Saint-Loup. Christian était un véritable amoureux du livre, amour qui transparaissait dans ses actes, ses engagements et ses choix. Sa disparition a créé un véritable vide pour sa famille, ses amis, ses auteurs et toute la profession. Il restera toujours présent dans nos cœurs et nos mémoires.

Christian Cayssiols

Ta fidèle et précieuse amitié chaleureuse nous manque, tout comme ton enthousiasme à réaliser les ouvrages qui te tenaient tant à cœur et qui permettent que tu sois toujours parmi nous.

Hélène et Georges Planche, arts graphiques & communication

Conception graphique et photogravure : dites voir!

aa&c
arts graphiques & communication

Texte et photographies : Christian Cayssiols.
Introduction historique : Marie Susplugas.

Achevé d'imprimer en octobre 2011 sur les presses de l'imprimerie Grafiche Zanini, à Bologne.
Dépôt légal : novembre 2011.
Imprimé en Italie.

Réalisé avec le soutien de la région Languedoc-Roussillon

la Région
Languedoc
Roussillon